Iddewiaeth

ar gyfer myfyrwyr UG

gan Lavinia Cohn-Sherbok

a Wendy Dossett

Golygydd y Gyfres: Roger J Owen

Diolchiadau

Carai'r awdurdon ddiolch i: *Patch Cockburn*; *Jackie Factor*, ac, yn enwedig, i aelodau *Cynulleidfa Hebreaidd Abertawe*, yr oedd eu cyfraniad i'r gyfrol yn amhrisiadwy.

Cydnabyddiaeth

Clawr: DH98593 Passover Meal, 1997 (olew ar gynfas) gan Dora Holzhandler (arlunydd cyfoes), Casgliad Preifat/Bridgeman Art Library. Casgliad Amgueddfa Hanesyddol Iddewig Amsterdam: t. 4. Ailargraffwyd gyda chaniatâd Gwasg Prifysgol Rhydychen: t. 7(t).
Cynulleidfa Hebreaidd Abertawe: t. 8, 9, 16, 19, 42(g), 47, 76(t), 80, 83.
World Religions/COPIX: t. 10, 42(t), 48, 81, 90. Llyfrgell Bodley, Prifysgol Rhydychen: t. 11 (Ms. Kennicott 1, f 305r). The Jerusalem Publishing House Ltd., Jerwsalem: t. 13.
Photo Wiener Library, Llundain: t. 17. Rex Features Limited: t. 21.
Library of the Hungarian Academy of Sciences: t. 23 (Kaufmann Ms A.50).
Atlas of Jewish History, Dan Cohn-Sherbok, Routledge, 1994 (t. 65): t. 29.
Werner Braun, Jerwsalem: t. 34. Jewish Chronicle: t. 41, 46, 57(t), 60, 64, 66, 78.
Liba Taylor/Hutchison Picture Library: t. 57(g), 65(t), 79, 88. Tegwyn Roberts: t. 44.
Kathie Dossett: t. 51, Wendy Dossett: t. 91. Brenda Prince/Format Photographers: t. 56.
The Jewish Catalog, Richard Siegal, Michael Strassfeld a Sharon Strassfeld, The Jewish Publication Society of America, Philadelphia: t. 58, 87. The Associated Press Ltd.: t. 65(g).
Miriam Reik/Format Photographers: t. 74(t), 77. The Second Jewish Catalog, S. ac M. Strassfeld, 1976 (t. 40), The Jewish Publication Society of America, Philadelphia: t. 74(g).
Joshua Liss: t. 76(g).

Roger J. Owen, Golygydd y gyfres

Roedd Roger J. Owen yn Bennaeth AG mewn amryw o ysgolion am ddeng mlynedd ar hugain, yn ogystal , bod yn Bennaeth Cyfadran, yn athro cynghorol ar gyfer AG gynradd ac uwchradd, yn Arolygydd Adran 23, ac yn Brif Arholydd Lefel 'O' a TGAU. Yn awdur dau ar bymtheg o lyfrau addysgol, mae ar hyn o bryd yn ymgynghorydd addysg ac yn Gadeirydd Arholwyr Astudiaethau Crefyddol UG ac U2 CBAC.

Cyhoeddwyd gan Wasg APCC
APCC, Heol Cyncoed,
Caerdydd CF23 6XD
cgrove@uwic.ac.uk
029 2041 6515

ISBN 1-902724-65-8

Dylunio gan *the info group*
Ymchwil lluniau gan *Gwenda Lloyd Wallace*
Cyfieithad gan *Siân Edwards*
Argraffwyd gan *HSW Print*

Comisiynwyd gyda chymorth ariannol Awdurdod Cymwysterau, Cwricwlwm ac Asesu Cymru (ACCAC).

Iddewiaeth
ar gyfer myfyrwyr UG

gan Lavinia Cohn-Sherbok
a Wendy Dossett

Golygydd y Gyfres: Roger J Owen

Cynnwys

Iddewiaeth

Rhagarweiniad

Cafodd y llyfr yma ei sgrifennu yn bennaf ar gyfer myfyrwyr yng Nghymru sy'n astudio Iddewiaeth lefel UG. Cafodd ei gomisiynu gan ACCAC, ac mae'n ystyried gofynion y Cwricwlwm Cymreig, sef sicrhau fod myfyrwyr yn 'cael cyfleoedd, lle bo hynny'n briodol, i ddatblygu a defnyddio eu gwybodaeth a'u dealltwriaeth o nodweddion diwylliannol, economaidd, amgylcheddol, hanesyddol a ieithyddol Cymru.' Gan hynny, mae arlliw Cymreig i lawer o'r cyfeiriadau a'r enghreifftiau. Mae hyn yn bwyslais priodol mewn llyfr a gomisiynwyd, a sgrifennwyd ac sy'n cael ei farchnata mewn cyd-destun Cymreig. Dydy hynny ddim yn golygu na all y llyfr gael ei ddefnyddio yn Lloegr neu wledydd eraill.

Dydy'r llyfr yma ddim yn disgwyl i'r darllenydd fod yn gwybod dim o flaen llaw am Iddewiaeth, ac mae'n cyflwyno'r grefydd mewn modd sy'n ateb gofynion manyleb UG CBAC. Fodd bynnag, ni ddylai, ar unrhyw gyfrif, gael ei ddefnyddio fel yr unig werslyfr ar gyfer y cwrs Iddewiaeth, gan fod astudio uwch yn golygu gallu darllen yn eang, a dadansoddi barn amryw o ysgolheigion am wahanol faterion.

Dylai'r llyfr yma gael ei ddefnyddio ar y cyd â'r llyfr athrawon, sy'n rhoi gwybodaeth gefndir fwy manwl ar rai o'r pynciau dan sylw, a help gyda'r tasgau sy'n ymddangos yn y testun.

Mae disgwyl i rai sy'n sefyll arholiadau lefel UG nid yn unig i ddangos eu bod yn gwybod ac yn deall y deunydd, ond hefyd fod ganddyn nhw sgiliau neilltuol, fel y gallu i gynnal dadl feirniadol a chyfiawnhau safbwynt neilltuol, a gallu cysylltu elfennau o'u cwrs astudiaeth wrth eu cyd-destun ehangach, yn ogystal ag agweddau penodol ar y profiad dynol. Bydd rhai o'r tasgau sy'n ymddangos isod yn eich helpu i ddatblygu'r sgiliau hynny: mae'n siwr y bydd athrawon a disgyblion yn meddwl am rai eraill. Mae'n bwysig cofio bob amser mynd y tu hwnt i ffeithiau syml ynglŷn âg Iddewiaeth, sy'n gymharol hawdd eu dysgu, ac ymateb i bob agwedd ar y grefydd mewn modd agored, empathig a beirniadol ymwybodol. Mae gallu gwerthfawrogi gwahanol safbwyntiau yn hanfodol bwysig yn hyn o beth.

Mae'r llyfr yma, a'r llyfr athrawon sy'n gydymaith iddo, wedi cael ei lunio â Sgiliau Allweddol mewn golwg. Dylai myfyrwyr ddatblygu sgiliau cyfathrebu drwy gymryd rhan mewn trafodaethau, casglu gwybodaeth a sgrifennu. Mae disgwyl iddyn nhw ddatblygu sgiliau TGC drwy eu hannog i wneud defnydd beirniadol o'r Rhyngrwyd, a chyflwyno'r hyn maen nhw'n ei ddarganfod ar ffurf project neu ffeil. Mae disgwyl iddyn nhw ddatrys problemau drwy ddadlau o blaid safbwynt neilltuol, a gweithio gydag eraill ar gyd-brojectau ymchwil. Dylent hefyd ystyried pa mor llwyddiannus yw eu dysgu a'u perfformiad drwy ddefnyddio'r dalennau hunan-asesu sydd yn y llyfr athrawon.

Mae'r llyfr myfyrwyr a'r llyfr athrawon yn ceisio dangos yr amrywiaeth sy'n bodoli o fewn Iddewiaeth. Mae hynny'n un o ofynion Manyleb UG CBAC, ond mae hefyd yn hanfodol i ddealltwriaeth gywir a chyflawn o'r grefydd. Mae pob traddodiad crefyddol yn cynnwys amrywiaeth o safbwyntiau ac arferion, a dylai myfyrwyr allu dangos ymwybyddiaeth feirniadol ond meddwl-agored o'r ffaith hon. Dylai athrawon a myfyrwyr fanteisio ar bob cyfle i ddangos amrywiaeth Iddewiaeth. Fel arall, y perygl yw mai dim ond argraff rannol o'r grefydd a geir, a allai arwain at ystrydebu di-fudd.

Yn ogystal â dangos eu bod yn ymwybodol o amrywiaeth Iddewiaeth fel crefydd, dylai myfyrwyr ddangos eu bod yn gwybod fod amrywiaeth barn ymhlith ysgolheigion ynglŷn ag agweddau o Iddewiaeth hefyd. Dydy barn unrhyw awdur sy'n sgrifennu am grefydd ddim yn ddiduedd. Mae gan bob awdur ei safbwynt unigryw ei hun ar astudio Iddewiaeth, yn cynnwys awduron y gwerslyfr yma. Felly dylai myfyrwyr fod yn gallu cyflwyno barn nifer o awduron. Does dim rhaid i bob barn fod yn ddadl glasurol neu'n safbwynt athronyddol, dim ond ffordd neilltuol awdur o gyflwyno rhai agweddau o'r grefydd. Dim ond un llyfr yw hwn o blith llawer o lyfrau sy'n cyfrannu at yr amrywiaeth o syniadau ysgolheigaidd am Iddewiaeth.

Mae systemau soffistigedig yn bod o drawslythrennu geiriau Hebraeg i ieithoedd eraill. Defnyddir system syml yma, mewn cadw â diben y gyfrol hon, y gobeithir ei bod yn gyson yn gyffredinol. Defnyddir y llythyren 'ch' Gymraeg i gyfleu'r sain 'ch', yn wahanol i fersiynau Saesneg sy'n defnyddio 'h' ar ddechrau geiriau, a 'kh' o fewn geiriau i ddynodi'r sain honno (e.e. 'Chanukah' yn lle 'Hanukah', 'halachah' yn lle 'halakhah'). Mae hyn yn gyson hefyd â'r ffurfiau a geir mewn cyfrol flaenorol ar Iddewiaeth a gyhoeddwyd gan Ganolfan Genedlaethol Addysg Grefyddol Prifysgol Cymru, Bangor (*Iddewiaeth* gan Arye Forta, cyfaddasiad gan Huw John Hughes, Canolfan Genedlaethol Addysg Grefyddol, 1995).

Defnyddir y term diwynyddol niwtral COG (Cyn Oes Gyffredin) ac OG (Oes Gyffredin) yma yn lle CC ac AD.

Adran I

Nod yr Adran

Mae'r adran hon yn gofyn i chi asesu pwysigrwydd y Gyfraith a traddodiadau ysgrythurol eraill fel sail i gred ac arfer Iddewiaeth.

Mae hyn yn golygu fod rhaid i chi ystyried:

1 Strwythur a cyfansoddiad y Torah, a'r rhan mae'n ei chwarae a'i awdurdod mewn Iddewiaeth uniongred ac an-uniongred

2 Pwysigrwydd datguddiad, cyfamod ac undduwiaeth foesegol mewn Iddewiaeth, a'r rhan mae'r gorchmynion yn chwarae mewn bywyd Iddewig

3 Datblygiad y traddodiad rabbinaidd, yn cynnwys datblygiad y Mishnah, y Talmudau, y Codau a'r Responsa.

seiliau Iddewiaeth

Seiliau Iddewiaeth

Sail y grefydd Iddewig ydy'r Gyfraith, y Torah. Un gred allweddol yn y ffydd Iddewig yw fod y Torah wedi dod oddi wrth Dduw. Cafodd ei roi i'r proffwyd Moses pan safai ar Fynydd Sinai. Mae Llyfr Exodus yn disgrifio beth ddigwyddodd fel hyn: 'Safodd y bobl o bell, ond nesaodd Moses at y tywyllwch lle'r oedd Duw. Dywedodd yr Arglwydd wrtho, "Fel hyn y dywedi wrth bobl Israel . . . Dyma'r deddfau yr wyt i'w gosod o flaen y bobl"' (20: 21-22; 21: 1).

Yn ôl y traddodiad, mae Moses yn berson unigryw. Maen nhw'n dweud mai dyma'r unig ddyn erioed y byddai Duw'n siarad yn gyfeillgar ag e. Roedden nhw'n arfer siarad 'wyneb yn wyneb, fel y bydd dyn yn siarad â'i gyfaill' (Exodus 33: 11). Felly, geiriau Duw wrth Moses ydy'r datguddiad llawnaf ac mae Iddewon Uniongred yn credu fod y geiriau hynny wedi eu cadw'n ddigyfnewid ym mhum llyfr cyntaf yr Ysgrythurau, sef Genesis, Exodus, Lefiticus, Numeri a Deuteronomium. Mynnai'r athronydd Iddewig o'r ddeuddegfed ganrif, Maimonides, fod credu hyn yn egwyddor hanfodol i'r ffydd Iddewig. Fel y dwedodd: 'Credaf â ffydd perffaith mai'r Torah cyfan a chyflawn sydd gennym yn awr yw'r union un a roddwyd i Moses . . . Credaf na chaiff y Torah fyth mo'i newid, ac na chaiff unrhyw gyfraith arall ei rhoi yn ei le gan y Creawdwr.'

Dros y canrifoedd, bu llawer o broffwydi, doethion ac athrawon eraill. Mae'r rhain wedi ychwanegu at y traddodiad Iddewig hefyd, ond mae'n cael ei bwysleisio bob amser fod eu dysgeidiaeth nhw yn rhan o'r traddodiad yma a roddwyd gan Dduw, sydd â'i wreiddiau yn y datguddiad dechreuol a gafodd Moses. Yn ôl y Mishnah, y casgliad mawr o gyfreithiau a sgrifennwyd i lawr yn derfynol yn yr ail ganrif OG: 'Derbyniodd Moses y Torah ar Fynydd Sinai a'i drosglwyddo i Josua, a Josua i'r hynafgwyr, a'r hynafgwyr i'r proffwydi, a'r proffwydi i wŷr y Cynulliad Mawr . . .'.

Y gyfraith ydy sail y grefydd Iddewig i'r dydd heddiw. Mae'r Mishnah'n dweud 'Mae'r Gair yn sefyll ar dri pheth - ar y Torah, ar wasanaeth y Deml ac ar weithredoedd caredig.' Cafodd y Deml ei dinistrio yn 70OG felly does dim gwasanaethau Teml bellach. Y Torah a gweithredoedd caredig ydy'r ddwy golofn sy'n cynnal yr holl gyfundrefn o hyd. Mae'n hen, hen draddodiad ac, i Iddewon crefyddol, mae'r traddodiad mor berthnasol heddiw ag oedd yn yr hen amser.

'Mae'r holl bethau a ddigwyddodd yn yr anialwch yn cael eu hailadrodd mewn hanes. Rydych chi'n gweld yr un pethau nawr . . . y cyfrifiad, edrych am arweinydd, pobl yn cwyno. Dydy'r ffaith eich bod chi'n arweinydd da ddim yn golygu y cewch weld y canlyniad. Chafodd Moses ddim arwain ei bobl i mewn i Wlad yr Addewid er mai fe oedd eu harweinydd.'

Norma, Abertawe

Llinell Amser

- **c.1280 COG** - yr Exodus (er bod y dyddiad hwn yn destun dadl rhwng ysgolheigion)

- **c. 1000 COG** - Jerwsalem yn mynd yn brifddinas y genedl o dan y Brenin Dafydd

- **c. 967 COG** - dechrau teyrnasiad Solomon, a chyfnod adeiladu'r Deml

- **722 COG** - yr Asyriaid yn trechu Teyrnas y Gogledd (Israel)

- **586 COG** - y Babiloniaid yn trechu Teyrnas y De (Jwdea) ac yn dinistrio'r Deml gan fynd â'r Iddewon pwysicaf yn ôl gyda nhw yn alltudion (y Gaethglud)

- **538 COG** - Cyrus Fawr, brenin Persia, yn caniatáu i'r alltudion ddychwelyd

- **516 COG** - cysegru'r Ail Deml

- **164 COG** - ailgysegru'r Deml wedi gwrthryfel y Macabeaid

- **70 OG** - dinistr yr Ail Deml o dan y Cadfridog Rhufeinig Titus

- **c. 200 OG** - Mishnah Jwda haNasi

- **c. 500 OG** - cwblhau'r Talmud Babilonaidd

- **bu f. 1204** - Moses Maimonides

- **c. 1810** - y mudiad Diwygiedig yn cychwyn yn yr Almaen

- **1844** - y mudiad Uniongred yn ymwahanu oddi wrth Iddewiaeth Flaengar

- **1938** - Kristallnacht, dinistrio synagogau Iddewig a dechrau'r Holocost

- **1948** - creu Gwladwriaeth Israel

Yr Ysgrythurau Hebraeg

Nod

Ar ôl astudio'r bennod yma, dylech fod yn gallu dangos yn glir eich bod yn gwybod ac yn deall strwythur y Torah, natur unigryw datguddiad mewn Iddewiaeth, a phwysigrwydd y Torah mewn addoli. Dylech fod yn gallu gwerthuso'r gwahanol ffyrdd o ddehongli'r Gyfraith gan Iddewon Uniongred a rhai an-Uniongred, a dylech fod yn gallu gwneud sylwadau ar gwestiynau ynglŷn ag awdurdod y Torah ym mywyd ac arfer Iddewon. Dylech allu dangos eich bod yn gwybod ac yn deall swyddogaeth y 613 o gyfreithiau defodol a moesol (mitzvot), a dangos eich bod wedi meddwl am oblygiadau'r gred fod gan y rhain awdurdod dwyfol i Iddewon

Mae'r Ysgrythurau Hebraeg yn cynnwys yr un llyfrau â'r Hen Destament Cristnogol. Mae rhai'n adrodd hanes y bobl Iddewig. Mae rhai'n weithiau proffwydol; maen nhw'n cyfleu ewyllys Duw. Mae llyfrau ar y gyfraith hefyd, yn ogystal â chasgliadau o farddoniaeth a dywediadau. Yn draddodiadol, mae'r Iddewon wedi rhannu'r casgliad yn dri. Enw'r pum llyfr cyntaf yn yr Hebraeg ydy Torah (cyfraith, yn llythrennol); enw'r ail grŵp, sy'n cynnwys llyfrau hanes Josua, Barnwyr, Samuel a Brenhinoedd yn ogystal â holl lyfrau'r proffwydi, ydy Llyfrau'r Proffwydi (Neviim), a'r enw ar y detholiad olaf, mwy amrywiol, ydy Llyfrau'r Ysgrifau (Ketuvim). Enw'r casgliad cyfan ydy'r *Tenakh* neu Tanach - acronym yn seiliedig ar lythrennau cyntaf enwau'r tri grŵp.

```
Torah   ⌉
Neviim  ├─ TeNaKh
Ketuvim ⌋
```

Natur y Tanach

Yn draddodiadol, mae Iddewon yn gweld gwahaniaeth pwysig rhwng llyfrau'r Torah a gweddill y Tanach. Un o erthyglau sylfaenol y ffydd Iddewig ydy bod pum llyfr cyntaf yr Ysgrythurau Hebraeg wedi cael eu rhoi yn gyflawn gan Dduw i Moses ar Fynydd Sinai. Gan hynny, mae ganddyn nhw awdurdod neilltuol ac unigryw. Dyma air Duw, yn llythrennol. Er fod pobl yn credu fod Llyfrau'r Proffwydi a'r Ysgrifau wedi eu hysbrydoli gan Dduw hefyd, doedd ganddyn nhw ddim mo'r un awdurdod uniongyrchol.

Dydy hynny ddim yn golygu nad ydy'r llyfrau eraill yn bwysig. Mae llyfr Genesis yn disgrifio addewid Duw i Abraham, cyndaid y bobl Iddewig: 'Gwnaf di yn genedl fawr a bendithiaf di; mawrygaf dy enw' (Genesis 12: 2). Yna, mae llyfr Deuteronomium yn disgrifio perthynas arbennig yr Iddewon gyda Duw. 'Y mae'r Arglwydd eich Duw wedi eich dewis o blith yr holl bobloedd sydd ar wyneb y ddaear, i fod yn bobl arbennig iddo ef' (Deuteronomium 7: 6). Mae'r Neviim, y llyfrau hanes a phroffwydoliaethau, yn cofnodi sut y cafodd yr addewid dwyfol ei gadw.

Sgroliau Torah'n cael eu harddangos (engrafiad o'r 18fed ganrif).

Mae Iddewon Uniongred yn credu mai gair Duw ydy'r Torah. Sut mae hynny'n effeithio ar y ffordd y byddan nhw'n trafod y sgroliau?

Roedd Iddewon crefyddol yn deall fod eu hanes yn dangos gweithgaredd Duw yn eu bywydau. Y thema gyson sy'n sail i'r llyfr yma ydy bod Duw yn cadw'i addewid cyhyd â bod yr Iddewon yn cadw'u hochr nhw o'r fargen. Os byddan nhw'n ufuddhau iddo, bydd Duw'n ei hamddiffyn ac yn eu cadw yng Ngwlad Israel. Ond os byddan nhw'n troi ymaith, yn anghofio'r Torah ac yn addoli duwiau eraill, bydd dinistr yn sicr yn dilyn. Bydd y bobl yn cael eu gorchfygu, eu caethiwo a'u caethgludo. Dro ar ôl tro mae'r proffwydi'n rhybuddio am y trychinebau sydd i ddod. Dro ar ôl tro, mae'r bobl yn methu dod at eu coed, ac yna mae'r haneswyr yn dangos sut mae gelynion yr Iddewon wedi eu gorchfygu.

Llyfrau'r Neviim a'r Ketuvim

Llyfr Josua ydy'r cyntaf o lyfrau hanes y Neviim. Aeth Josua'n arweinydd wedi i Moses farw, gan arwain y bobl i Wlad yr Addewid. Mae Llyfr y Barnwyr yn disgrifio sut wnaeth yr Iddewon eu hamddiffyn eu hunain yn erbyn eu gelynion yn y dyddiau cynnar. Mae Llyfrau Samuel a Brenhinoedd yn egluro pam roedden nhw'n credu fod rhaid cael brenin, a sut gawson nhw eu gorchfygu wedyn gan yr Asyriaid yn 721 COG a'r Babiloniaid yn 586 COG. Roedd y proffwyd cyntaf i sgrifennu, Amos, yn byw yn yr wythfed ganrif COG, mae'n debyg, a'r olaf, Malachi efallai, yn y bumed ganrif. Felly, mae'r Neviim yn ymdrin â chyfnod o ryw wyth can mlynedd, ac mae'n gronicl o ddigwyddiadau hanesyddol a hefyd yn sylwebaeth arnyn nhw.

Mae llyfrau'r Ketuvim yn wahanol, a does dim un thema gyffredin. Casgliad o gerddi wedi eu cysegru i Dduw ydy'r Salmau. Pum cerdd yn galaru am ddinistr Jerwsalem gan y Babiloniaid ydy Galarnad. Mae Llyfr y Pregethwr yn cynnig athroniaeth bywyd neilltuol. Casgliad o ddywediadau byr ydy Diarhebion, a cherdd garu faith ydy Caniad Solomon. Mae Llyfr Job yn ceisio deall pam mae'r cyfiawn yn dioddef ac mae Llyfrau Ruth, Esther a Daniel yn cynnwys chwedlau pwysig. Fersiwn arall o hanes yr Iddewon ydy Cronicl I a II, ac mae Esra a Nehemeia yn cyfeirio at y cyfnod pan oedd yr Iddewon wedi dod nôl i Wlad yr Addewid o'r Gaethglud ym Mabilon.

Nid Llyfrau'r Tanach ydy'r unig lyfrau a sgrifennwyd gan yr hen Iddewon, o bell ffordd. Roedd rhai eraill, oherwydd mae'r Beibl ei hun yn cyfeirio atyn nhw: 'Y mae gweddill hanes Jeroboam ... wedi ei ysgrifennu yn llyfr hanesion brenhinoedd Israel' (I Brenhinoedd 14: 19). Does neb yn gwybod pam fod y llyfrau neilltuol yma wedi eu cadw tra bod eraill wedi mynd ar goll. Wyddon ni ddim chwaith pam y dechreuodd pobl gredu fod gan y llyfrau yma awdurdod. Serch hynny, roedd cytundeb ynglŷn â hynny erbyn canol yr ail ganrif OG ac mae rhai o'r llyfrau'n dyddio o gyfnod o leiaf fil o flynyddoedd cyn hynny.

Awdurdod y Torah

Mae awdurdod y Torah yn destun dadl sy'n hollti'r gymuned Iddewig fodern yn ddwy. Fel y gwelsom, roedd yn erthygl hanfodol o'u ffydd fod y pum llyfr hyn yn llythrennol wedi cael eu harddweud gan Dduw wrth Moses. Felly, rhaid fod pob gair yn wir. Mae cyfanswm o 613 o orchmynion (Hebraeg – 'mitzvot') yn y Torah. Mae 248 o'r rhain yn bositif (fel 'Byddwch ffrwythlon ac amlhewch' neu 'Cofia'r dydd Saboth, i'w gadw'n gysegredig') ac mae 365 yn negyddol, ('Paid â berwi myn yn llaeth ei fam' a 'Na ddwg gamdystiolaeth' h.y., 'Paid â dweud celwydd'). Mae'r 613 yn ymdrin â phob agwedd o fywyd bob-dydd ac yn cynnwys hefyd nifer o mitzvot defodol yn ymwneud ag addoli. Y rhai mwyaf enwog ydy'r Deg Gorchymyn, yn Exodus 20 a Deuteronomium 5. Mae'r rhain yn cynnwys pedair cyfraith ddefodol a deg cyfraith foesol.

Rhaid pwysleisio nad ydy'r Deg Gorchymyn yn bwysicach na'r 603 arall. Rhaid hefyd parchu'r mitzvot defodol lawn cymaint â'r rhai moesol. Dylid ufuddhau iddyn nhw nid oherwydd fod cymdeithas yn hapusach os oes ganddi drefn, neu oherwydd eu bod yn dysgu sut i gadw'n lân neu ddiogelu bywyd teuluol, ond oherwydd fod Duw yn mynnu hynny. Yn draddodiadol, dyna pam mae Iddewon yn credu y dylid ufuddhau i'r gyfraith. Does dim cyfiawnhad arall. Mae'n bwysig cofio hefyd nad ydy Iddewon yn disgwyl i an-Iddewon ufuddhau i'r holl mitzvot. Mae'r Torah ar gyfer yr Iddewon yn unig, ac mae'n arwydd o'u perthynas arbennig gyda Duw (gweler pennod 2).

Pwy oedd awdur y Torah?

Mae'r rhan fwyaf o ysgolheigion modern yn amau nad Moses oedd awdur y Torah. Ers blynyddoedd lawer, mae pobl wedi cydnabod fod y straeon yn cael eu hailadrodd, a bod gwahaniaethau amlwg mewn arddull o fewn y testun. Mae pennod gyntaf stori Joseff (Genesis 37) yn dangos hyn yn glir. Mewn rhai adnodau, Jacob ydy enw tad Joseff, ond mewn rhai adnodau caiff ei alw'n Israel. Mae'r brodyr yn casáu Joseff, weithiau oherwydd ei freuddwydion ond weithiau am mai fe ydy ffefryn eu tad. Mewn un man, Reuben sy'n ceisio achub Joseff, ond mewn man arall, Jwda sy'n gwneud, a dydy hi ddim yn glir a

(5)

gafodd Joseff ei werthu gan ei frodyr i fasnachwyr Midianaidd neu i Ismaeliaid. Yr eglurhad amlwg am y gwahaniaethau hyn ydy dwy ffynhonnell wahanol. Ond os ydy hynny'n wir, yna nid geiriau Duw oedden nhw.

Mae'r rhan fwyaf o ysgolheigion beiblaidd heddiw yn cytuno mai casgliad o draddodiadau ydy pum llyfr cyntaf yr Ysgrythurau Hebraeg (neu'r Pentateuch, sef y gair Groeg am y 'Pum Llyfr'), oll wedi eu cyfansoddi ar wahanol adegau. Mae llawer o Iddewon wedi dod i dderbyn y farn hon. Mae rhai wedi cefnu ar eu ffydd yn llwyr, ond mae llawer yn dal i barchu'r Torah yn fawr iawn. Ar yr un pryd, dydyn nhw ddim yn dal i feddwl mai dyma ffynhonnell pob awdurdod. Mae Iddewon o'r fath yn cael eu disgrifio fel rhai an-Uniongred. Yn yr Unol Daleithau, y prif grwpiau an-Uniongred ydy'r mudiadau Ceidwadol a Diwygiedig. Mae gan y ddau grŵp eu trefn grefyddol a'u synagogau eu hunain. Y grwpiau an-Uniongred tebyg ym Mhrydain ydy'r Mudiad Diwygiedig a'r Mudiad Rhyddfrydol.

Mater o ddehongli

Mae Iddewon an-Uniongred yn teimlo fod ganddyn nhw'r hawl i ddehongli cyfraith Iddewig yn unol ag arferion modern a'n dealltwriaeth o'r byd heddiw. Mae enghreifftiau di-ben-draw o'r gwahaniaethau rhwng dehongliadau Uniongred ac an-Uniongred o'r gyfraith. Er enghraifft, pan fydd priodas wedi methu, mae'r Torah'n dweud, os ydy dyn am ysgaru ei wraig, fod rhaid iddo roi'r ddogfen ysgaru briodol iddi (Deuteronomium 24: 1). Ond does dim ffordd y gall menyw ysgaru gŵr creulon neu un sy'n ei chamdrin. Mae'r mudiad Ceidwadol Americanaidd wedi osgoi'r broblem drwy roi cymal ym mhob cytundeb priodas sy'n dweud y bydd priodas yn cael ei diddymu'n otomatig os bydd gŵr yn gwrthod, yn afresymol, rhoi ysgariad i'w wraig. Mae'r mudiad Diwygiedig yn dweud fod y gyfraith hynafol yn annheg, ac mae'n anwybyddu'r gyfraith yn llwyr.

Mae Iddewon Uniongred, yn y cyfamser, yn dal i addoli yn y ffordd draddodiadol. Dydyn nhw ddim yn derbyn casgliadau ysgolheictod fodern, gan ddal i gredu fod y Torah yn anffaeledig, hynny yw, yn wir bob gair. Mae hyn yn golygu eu bod nhw'n byw eu bywydau yn gwbl gaeth i'r gyfraith (gweler penodau 5 -10) ac yn parhau i fod yn feirniadol iawn o Iddewon an-Uniongred. Er mai dim ond rhan fechan o'r bobl Iddewig ydyn nhw, maen nhw'n dal i fod yn llawer mwy dylanwadol na'u nifer. Mae hynny i raddau oherwydd parchedig ofn Iddewon eraill tuag atyn nhw, ac yn rhannol oherwydd mai nhw sy'n rheoli holl fudiadau crefyddol swyddogol Gwladwriaeth Israel. Ym Mhrydain, mae'r mudiad synagogau mwyaf, dan arweiniad y Prif Rabbi, yn Uniongred. Dydy hynny ddim yn golygu fod y rhan fwyaf o Iddewon Prydeinig yn byw eu bywydau fel Iddewon Uniongred, dim ond fod yn well ganddyn nhw gefnogi enwad crefyddol Uniongred nag un an-Uniongred.

Tasgau

Dyma ddarn o ddatganiad ffurfiol yn egluro'r gred Iddewig an-Uniongred, sef y 'Columbus Platform', a sgrifennwyd yn America ym 1937 gan y gymuned Iddewig Ddiwygiedig.

'Mae datguddiad yn broses barhaus, heb fod yn gyfyngedig i un grŵp neilltuol neu un oes neilltuol. Ac eto, cafodd pobl Israel, drwy ei phroffwydi a'i doethion, olwg unigryw ar fyd gwirionedd crefyddol. Mae'r Torah, ysgrifenedig a llafar, yn dangos Israel yn mynd yn fwyfwy ymwybodol o Dduw a'r gyfraith foesol. Mae'n diogelu cynseiliau hanesyddol, sancsiynau a normau bywyd Iddewig, ac yn ceisio ei ffurfio yn ôl patrymau daioni a sancteiddrwydd. **Gan eu bod yn gynnyrch prosesau hanesyddol, mae rhai o'i gyfreithiau wedi colli eu grym i'n rhwymo, gan fod yr amodau a achosodd iddyn nhw gael eu llunio wedi diflannu**. Ond fel y peth sy'n cynnwys y delfrydau ysbrydol parhaol, y Torah yw ffynhonnell ddynamig bywyd Israel o hyd. Mae'n ddyletswydd ar bob oes i addasu dysgeidiaeth y Torah i ateb ei hanghenion sylfaenol, mewn cytgord ag athrylith Iddewiaeth.

O Nicholas De Lange, *Judaism*, OUP, 1986

Tasg sgrifennu	Eglurwch ystyr y frawddeg mewn print trwm.

Dyma ddatganiad gan Rabbi Uniongred pwysig, Samson Raphael Hirsch 1808-88.

'Os wyf yn credu mai'r Beibl yw gair Duw, ac Iddewiaeth a'r gyfraith Iddewig yw ewyllys Duw wedi eu datguddio, oes gennyf hawl sefyll ar briffordd yr oesoedd a'r gwledydd, a gofyn i bob pererin dynol ar y ddaear am ei farn, y rhai a aned rhwng breuddwyd ac effro, rhwng gwall a gwirionedd, er mwyn gofyn iddo gymeradwo gair y Duw byw, er mwyn ffurfio'r gair hwnnw i ateb mympwy dros-dro? A ydwyf i ddweud "Dyma Iddewiaeth fodern, wedi ei phuro! Dyma air y Duw byw, wedi ei goethi, ei gymeradwyo a'i buro gan ddynion!"'

O 'The Dangers of Updating Judaism', wedi ei ddyfynnu yn W. Oxtoby (gol.), *World Religion: Western Traditions*, OUP, 1996, tud. 127

Tasgau sgrifennu	Eglurwch yr effaith ar grefydda os nad ydy pobl yn credu fod y Torah yn anffaeledig.
	Faint o gyfiawnhad sydd i'r ffordd mae Iddewon an-Uniongred yn dehongli'r ysgrythur?

Pynciau seminar
Pwy sgrifennodd y Pentateuch?
Beth ydy'r prif wahaniaethau yn yr agweddau yn y ddau ddarlleniad uchod?

Defnydd y Tanach

Er bod y Tanach yn cael eu hargraffu ar gyfer defnydd yn y cartref a'r synagog fel un gyfrol, mae'r Torah yn dal i gael ei sgrifennu â llaw yn yr iaith gysegredig, sef Hebraeg, ar sgroliau memrwn anferth. Mae gan bob synagog o leiaf un o'r sgroliau hyn, a hi ydy canolbwynt yr addoli yn y synagog. Mae'n cael ei chadw yn yr Arch, cwpwrdd mawr wedi ei addurno'n hardd yn wal ddwyreiniol yr adeilad. Pan fydd drysau'r Arch yn cael eu hagor a'r sgrôl yn cael ei thynnu allan neu ei rhoi yn ôl, bydd y gynulleidfa'n sefyll fel arwydd o barch. Mae hyn yn cydnabod rhan ganolog y Torah ym mywyd Iddewon, ac mae'n anrhydedd cael eich gwahodd i agor neu gau'r drysau.

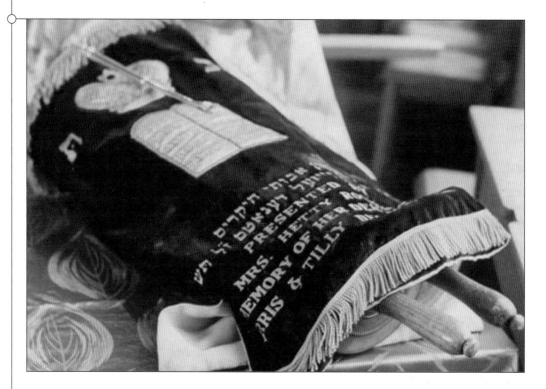

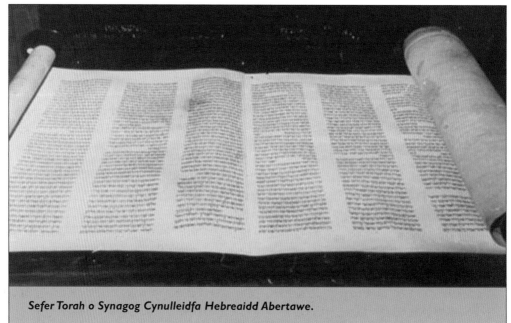

Sefer Torah o Synagog Cynulleidfa Hebreaidd Abertawe.

Mae'r sgrôl ei hun (Sefer Torah) yn aml yn beth hardd dros ben. Mae'r darnau o femrwn yn cael eu gwnïo ynghyd i ffurfio rholyn hir. Mae'r naill ben a'r llall ynghlwm wrth ffon a phan nad ydy'n cael ei defnyddio, mae wedi ei rholio'n dynn mewn gorchudd wedi ei addurno'n gywrain. Mae'r gorchudd yma o bren wedi ei naddu neu liain brodwaith. Mae addurn arian yn cael ei osod dros y gorchudd, yn debyg i'r ddwyfronneg arian fyddai'r archoffeiriad yn ei wisgo yn yr oesoedd gynt.

Coronau ar y Sefer Torah o Synagog Cynulleidfa Hebreaidd Abertawe.

Allwch chi egluro pam mae Sefer Torah yn cael ei addurno fel hyn?

Addurniadau arian ar y Sefer Torah yn Synagog Cynulleidfa Hebreaidd Abertawe.

Bob pen i'r ffyn, mae addurniadau arian, yn aml ar ffurf coronau, i ddangos mai'r Torah sy'n llywodraethu bywyd y gymuned Iddewig.

Pan fydd y sgrôl yn cael ei hagor, bydd y darllenydd yn defnyddio ffon gyfeirio arian, o'r enw yad, rhag i'r testun gael ei faeddu gan fysedd dynol.

Tri yad yn Synagog Cynulleidfa Hebreaidd Abertawe.

'Pan fyddwch chi'n darllen o'r Sefer Torah, mae'r ffyn cyfeirio yn eich helpu i ddilyn y geiriau, oherwydd ddylech chi ddim cyffwrdd â'r testun â'ch dwylo. Mae'n anodd i berson amhrofiadol ddarllen o'r Sefer Torah, oherwydd does dim llafariaid.'

David, Abertawe

Sefer Torah a yad.

Pam na fyddai hi'n iawn i fysedd dynol gyffwrdd â'r sgrôl?

Rhan y Torah mewn addoli

Yn ystod y flwyddyn, caiff y Torah cyfan ei ddarllen yn uchel yn y synagog. Mae'r testun wedi ei rannu'n ddarnau wythnosol sefydlog a bydd y cylch blynyddol yn cychwyn ac yn gorffen ar ŵyl Llawenhau yn y Gyfraith (gweler pennod 6). Bob Saboth, mae'r Torah'n cael ei gario o'r arch yn seremonïol, a bydd y gynulleidfa'n ymgrymu wrth iddo fynd heibio. Mae'n cael ei ddarllen o lwyfan canolog yn yr adeilad er mwyn i bawb allu clywed. Yn draddodiadol, bob Saboth bydd saith darllenydd yn cael eu galw i'r llwyfan yn eu tro. Mae pob un yn adrodd bendith ac yna bydd y rabbi neu arweinydd swyddogol y gwasanaeth yn darllen darn y Saboth hwnnw o'r sgrôl. Mewn synagogau Uniongred, dim ond dynion sy'n cael eu gwahodd, ond mewn synagogau an-Uniongred, gall menywod chwarae'r rhan yma hefyd. Mae'r mudiad an-Uniongred yn ordeinio menywod i fod yn rabbiniaid hefyd.

Mae geiriau'r gwasanaeth, lawer ohonyn nhw o'r Salmau, yn pwysleisio pwysigrwydd y Torah ym mywyd yr Iddewon: 'Bendigaid fyddo Ef a roddodd y Torah i'w bobl Israel yn Ei sancteiddrwyd. Mae Torah'r Arglwydd yn berffaith, yn adfywio'r enaid . . . A dyma'r Torah a roddodd Moses ger bron Plant Israel yn ôl gorchymyn yr Arglwydd . . . Y mae'n bren bywyd i'r neb a gydia ynddo, a dedwydd yw'r rhai sy'n glynu wrtho. Ffyrdd hyfryd yw ei ffyrdd a heddwch sydd ar ei holl lwybrau.'

Ar ôl y darlleniad o'r Torah, bydd darn arall o'r ysgrythur yn cael ei ddarllen bob amser. Yr Haftarah ('diweddglo') ydy enw hwn, a gall ddod o unrhyw ran o'r Neviim neu'r Ketuvim. Unwaith eto, mae darn gosod a gafodd ei ddewis am ei fod yn cynnig rhyw fath o sylwebaeth ar y darn o'r Torah, neu am fod rhyw gysylltiad. Mae darlleniadau neilltuol yn gysylltiedig â gwyliau neilltuol, er enghraifft, bydd Llyfr Ruth yn cael ei ddarllen ar Shavu'ot (gweler pennod 6) a Llyfr Jona ar Yom Kippur (gweler pennod 8).

'Dwi'n credu fod cysylltiad arbennig rhwng y Gymraeg a'r Hebraeg. Mae'r Cymry wedi brwydro dros y blynyddoedd i gadw eu hiaith yn fyw. Mae wedi bod yr un fath gyda'r Iddewon. Yr Hebraeg oedd iaith gweddïo i Iddewon ym mhedwar ban y byd, ond fel Lladin, roedd yn iaith 'farw' – iaith oedd yn cael ei darllen mewn gweddi ond ddim yn cael ei siarad bob dydd. Ond pan gafodd Gwladwriaeth Israel ei sefydlu, cafodd yr Hebraeg ei hadfywio fel iaith lafar, fodern. Dydy hi ddim yn iaith 'farw' bellach, ond yr iaith swyddogol mae Israeliaid yn ei siarad heddiw. Mae llawer o Gymry wedi dweud mai emynau Cymraeg, sawl un wedi eu seilio ar salmau a syniadau Iddewig, a cyfieithu'r ysgrythurau Hebraeg i'r Gymraeg a helpodd yr iaith Gymraeg i oroesi.'

Rosalind, Abertawe

Yn y cartref, bydd darnau o'r Tanach yn cael eu darllen i groesawu'r Saboth (gweler pennod 5) ac ar adeg gwyliau fel Pesach (y Pasg Iddewig) a Sukkot (Tabernaclau, gweler pennod 6) a Pwrim (Coelbrennau, gweler pennod 7). Mae disgwyl i bob plentyn Iddewig ddysgu rhywfaint o Hebraeg er mwyn gallu darllen y Tanach ar lafar yn yr iaith wreiddiol a deall y gweddïau yn y synagog. Drwy ddarllen testun Hebraeg y Tanach a'r llyfr gweddi, mae'r Iddew yn cadw mewn cysylltiad â'r hen draddodiadau. Ble bynnag y bo Iddew yn y byd, bydd yn deall y darlleniadau a'r gweddïau ac yn rhannu treftadaeth gyffredin gyda phob Iddew arall, o bob cefndir a phob cenedl.

Tudalen o Lyfr Jona yn y Neviim.

Geirfa

anffaeledig	Pan fydd Iddewon Uniongred yn dweud fod y Torah'n anffaeledig, maen nhw'n golygu fod pob gair yn ddatguddiad gan Dduw, does dim elfen o ddehongli dynol, ac mae anufuddhau mewn unrhyw fodd i unrhyw ran o'r ddysgeidiaeth yn golygu torri'r cyfamod. Mewn geiriau eraill, mae'r Torah ysgrifenedig yn gofnod cwbl gywir a chyflawn o ddatguddiad Duw.
arch	Cilfach yn y synagog lle mae'r Sefer Torah'n cael eu cadw. Yn yr oes Feiblaidd, y blwch oedd yn dal llechi'r gyfraith a gariodd yr Israeliaid drwy'r anialwch, cyn eu gosod yn y Cysegr Sancteiddiolaf yn y Deml.
Gwlad yr Addewid	Gwlad Canaan, wedi ei haddo i Abraham a'i ddisgynyddion fel rhan o'r Cyfamod.
Hebraeg	Yr iaith Semitig y cafodd y rhan fwyaf o'r ysgrythurau Iddewig eu sgrifennu ynddi.
Mishnah	Y gyfraith lafar, a luniwyd ac a sgrifennwyd i lawr yn yr ail ganrif gan Jwda haNasi, wedi ei rannu'n chwe adran neu sedarim. Mae Iddewon yn credu fod y gyfraith lafar wedi cael ei rhoi i Moses ar yr un pryd â'r gyfraith ysgrifenedig, a chafodd ei throsglwyddo a'i hegluro a'i hesbonio, o genhedlaeth i genhedlaeth.
Mitzvot	Gorchmynion neu ddyletswyddau (unigol Mitzvah). Mae 613 o mitzvot, a gafodd eu rhoi i'r Iddewon yn Exodus, ac mae ufuddhau i'r gorchmynion hyn yn ganolog i fywyd Iddewig Uniongred.
Saboth	Hebraeg, 'Shabbat'. Seithfed diwrnod yr wythnos (machlud haul nos Wener tan fachlud haul nos Sadwrn) pan na ddylai Iddewon wneud unrhyw waith.
Sefer Torah	Sgrôl y Pentateuch. Mae Sefer Torah yn cael eu cadw yn yr Arch yn wal y synagog, yn wynebu Jerwsalem.
Tanach	Neu 'Tenach'. Tair llythyren gyntaf y tri gair Hebraeg am adrannau'r Beibl: Torah, Neviim a Ketuvim. Y Tanach, felly, ydy'r Beibl Hebraeg.
Torah	Yn llythrennol, 'addysgu'. Yr ystyr gul ydy'r cyfreithiau yn y Pentateuch, ond mae'n cael ei ddefnyddio am y pum llyfr cyntaf, a hefyd i gyfeirio at holl ddysgeidiaeth Iddewiaeth, yn cynnwys y Beibl Hebraeg a'r Gyfraith Lafar.

Themâu pwysig yn y Tanach

Nod

Ar ôl astudio'r bennod yma, dylech fod yn gallu dangos yn glir eich bod yn gwybod ac yn deall swyddogaeth a phwysigrwydd y berthynas rhwng Duw a bodau dynol mewn Iddewiaeth, fel y mae hynny'n cael ei fynegi yn hanes y creu yn Genesis, a trwy'r syniad o Gyfamod. Mae'r bennod yn gofyn i chi archwilio'r oblygiadau i'r Iddewon o gredu mewn Un Duw a greodd y byd, sy'n gorchymyn i'w bobl ac yn achosi digwyddiadau hanesyddol. Dylech fod yn gallu cynnig sylwadau ar sut mae'r Iddewon yn deall y syniad o fod wedi cael eu dewis fel cyfrifoldeb yn ogystal â braint, a pherthynas yr Iddewon gyda gweddill y byd.

Mae'r Tanach yn cynnwys amrywiaeth o lyfrau gwahanol sydd â gwahanol themâu. Serch hynny, mae'r Ysgrythurau Hebraeg yn cynnig darlun unedig a dylanwadol dros ben o hanes y ddynolryw.

Undduwiaeth foesegol

Mae'r Tanach yn dysgu mai Duw greodd y bydysawd a bod Duw'n poeni'n bersonol am dynged unigolion a chenhedloedd. Mae Duw'n poeni'n neilltuol am dynged ei Bobl Etholedig, yr Iddewon, a fydd, yn y pen draw, yn dod â'r holl bobloedd i mewn i berthynas iawn gyda Duw. Mae'r Ysgrythurau Iddewig yn pwysleisio hefyd fod Duw am weld cyfiawnder cymdeithasol ledled y ddaear, ac mai ei gyfraith ydy'r sail ar gyfer cymdeithas ddynol wâr.

Undduwiaeth foesegol ydy'r term arferol am hyn, hynny yw, cred mewn un Duw, ffynhonnell pob moesoldeb. Mae 'uniaeth' Duw yn agwedd bwysig iawn ar undduwiaeth foesegol, ac mae Iddewon yn cael eu hatgoffa beunydd am eu perthynas â'r un Duw yn y Shema: 'Gwrando, O Israel: Y mae'r Arglwydd ein Duw yn un Arglwydd.' (Deuteronomium 6: 4). Mae hyn y golygu nad oes gan Dduw gynorthwywyr, perthnasau na chystadleuwyr, a dyna un o'r rhesymau pam mae Iddewiaeth yn dweud na chaiff neb greu delwau o Dduw. Byddai addoli delw yn golygu addoli rhywbeth arall yn lle Duw, rhywbeth sy'n cystadlu â Duw ac yn tanseilio ei uniaeth. Mae hefyd yn golygu mai Duw, a Duw yn unig, sy'n gyfrifol am bopeth sy'n digwydd yn y byd. Mae hynny'n golygu, pan fo pethau drwg yn digwydd, fod rhaid i Iddewon eu derbyn a chwilio am ystyr ynddyn nhw, sy'n aml yn achosi iddyn nhw ofyn ai eu hymddygiad nhw sydd wedi achosi i Dduw weithredu fel hyn.

Rhai o Enwau Duw yn y Traddodiad Iddewig

YHWH (Y Tetragramaton) -	Yr Arglwydd (hefyd, *Adonai, Yah*)
El, Eloha, Elohim -	Duw
Shaddai -	Hollalluog
Ha-Kadosh Baruch Hu -	Y Sanctaidd Un, Bendigedig y Byddo
Ribono Shel Olam -	Meistr y Bydysawd
Ha-Makom -	Y Lle
Ha-Rahman -	Y Trugarog
Shechinah -	Y Presenoldeb Dwyfol
En-Sof -	Y Tragwyddol
Gevurah -	Yr Holl-Nerthol
Tsur Yisrael -	Craig Israel
Shomer Yisrael -	Ceidwad Israel
Melech Malché Melachim -	Aruchel Frenin y Brenhinoedd

Mae'r Tanach yn ei gwneud yn glir fod Duw yn disgwyl i'w bobl ymddwyn mewn ffordd neilltuol, gan ei fod yn gorchymyn iddyn nhw wneud pethau neilltuol. Ond mae undduwiaeth foesegol yn golygu llawer mwy nag ufuddhau i orchmynion. Mae'r Ketuvim yn son am bobl yn ymdrechu i fyw bywyd cyfiawn, gan ddynwared daioni Duw, ac ymddwyn yn unol â'r drefn sy'n amlwg yng nghreadigaeth Duw. Mae hefyd yn golygu deall fod gan bob agwedd o fywyd berthynas anwahanadwy gyda Duw. Nid dim ond un nodwedd o blith llawer ydy uniaeth Duw: mae'n golygu mai ef yw tarddiad pob peth a phen draw pob peth. Dydy ei greadigaeth ddim ar wahân iddo - mae mewn perthynas o undod gydag e.

Fu'r Iddewon erioed yn fwy na chanran fechan o boblogaeth y byd, ond mae eu dylanwad crefyddol wedi bod yn anferthol. Iddew oedd sylfaenydd Cristnogaeth, Iesu o Nasareth, a cafodd y Tanach ei fabwysiadu gan ei ddilynwyr fel yr Hen Destament. Roedd Iddewiaeth yn bwysig hefyd yn syniadaeth Muhammad, proffwyd Islam. Drwy'r ddwy grefydd yma, lledaenodd dysgeidiaeth yr Iddewon am undduwiaeth foesegol i bedwar ban y byd.

Tasgau

Tasgau sgrifennu	Eglurwch beth mae Iddewon yn ei olygu wrth y gred mai Duw ydy ffynhonnell pob moesoldeb.
	'Heb grefydd, does dim moesoldeb. Pawb drosto'i hun yw hi.' Aseswch ddilysrwydd y farn yma.
	Eglurwch pam mae Iddewon yn pwysleisio fod Duw yn 'Un'.
	'Mae undduwiaeth yn well nag amldduwiaeth (cred mewn llawer o dduwiau).' Aseswch ddilysrwydd y farn yma.

Duw y Creawdwr

Mae llyfr cyntaf y Tanach, Llyfr Genesis, yn dysgu i ni mai Duw ydy ffynhonnell yr holl fydysawd. Meddai'r bennod gyntaf, 'Yn y dechreuad creodd Duw y nefoedd a'r ddaear. Yr oedd y ddaear yn afluniaidd a gwag, ac yr oedd tywyllwch ar wyneb y dyfnder, ac ysbryd Duw yn ymsymud ar wyneb y dyfroedd. A dywedodd Duw, "Bydded goleuni". A bu goleuni.' Mae'r testun yn mynd yn ei flaen i esbonio sut y gweithiodd Duw am chwe diwrnod, gan greu'r nefoedd, y moroedd a'r tir sych. Gwnaeth i blanhigion o bob math dyfu yn y ddaear. Gwnaeth yr haul, y lleuad a'r sêr a chreu'r holl bysgod, adar, pryfed ac anifeiliaid. Yn olaf, creodd fodau dynol i reoli creaduriaid y ddaear.

Mae'r ail bennod yn pwysleisio mai Duw wnaeth bob peth, ond mae'n awgrymu iddo wneud dyn cyn iddo wneud y planhigion a'r coed. Yna, penderfynodd fod ar ddyn angen cwmpeini, felly dyma greu'r anifeiliaid a'r adar gyntaf, ac yna, menyw. Yn y ddwy fersiwn, mae bodau dynol yn cael eu hystyried yn goron ar greadigaeth Duw. Mae'r ysgrythurau hefyd yn pwysleisio fod Duw yn dal i chwarae rhan fawr yn y byd mae wedi ei greu. Yng ngeiriau awdur Salm 89: 'O Arglwydd Dduw y lluoedd, pwy sy'n nerthol fel tydi, O

Arglwydd . . . Ti sy'n llywodraethu ymchwydd y môr; pan gyfyd ei donnau, yr wyt ti'n eu gostegu . . . Eiddot ti yw'r nefoedd, a'r ddaear hefyd' (8-9, 11). Felly mae pob newid yn yr atmosffer, pob deilen newydd, pob genedigaeth yn tystio i broses barhaus creadigaeth Duw. Mae'r Tanach yn dysgu fod Duw yn drosgynnol (ymhell uwch law pob deall dynol) ac yn fewnfodol (yn agos ger llaw). Ar y naill law, yn Llyfr Eseia mae Duw yn datgan: 'nid fy meddyliau i yw eich meddyliau chwi, ac nid eich ffyrdd chwi yw fy ffyrdd i . . . Fel y mae'r nefoedd yn uwch na'r ddaear, y mae fy ffyrdd i yn uwch na'ch ffyrdd chwi, a'm meddyliau i na'ch meddyliau chwi' (Eseia 55: 8-9). Ar yr un pryd, gall awdur Salm 139 ofyn: 'I ble yr âf oddi wrth dy ysbryd? I ble y ffoaf o'th bresenoldeb? Os dringaf i'r nefoedd, yr wyt yno; os cyweiriaf wely yn Sheol [yr isfyd], yr wyt yno hefyd. Os cymeraf adenydd y wawr a thrigo ym mhellafoedd y mor, yno hefyd fe fydd dy law yn fy arwain'(7-10).

Natur Duw

Felly mae'r Tanach yn pwysleisio fod Duw y tu allan a thu hwnt i'r bydysawd y mae wedi ei greu ond, ar yr un pryd, mae'n chwarae rhan glos ym mhob manylyn ohono. Dydy e ddim yn niwtral o safbwynt moesol chwaith. Mae hanes y Creu yn ailadrodd beunydd fod Duw'n gweld fod ei waith yn dda (Genesis 1: 4, 10, 12, 18, 21, 25). Mae'r greadigaeth yn adlewyrchu natur Duw ei hun. Mae'n dda am fod Duw ei hun yn dda. Yng ngeiriau awdur Salm 145: 'Graslon a thrugarog yw'r Arglwydd, araf i ddigio, a llawn ffyddlondeb. Y mae'r Arglwydd yn dda wrth bawb ac y mae ei drugaredd tuag at ei holl waith'(8-9). Os ydy Duw wedi rhoi'r ddaear yn ngofal bodau dynol, yna dylen nhw ei llywodraethu â chariad a thosturi. Fel partneriaid Duw yn y broses greadigol, maen nhw'n gyfrifol am dyfu bwyd, am amddiffyn creaduriaid Duw ac am ddatblygu adnoddau naturiol. A dylen nhw hefyd weld fod eu gwaith yn dda.

Cwestiynau ynglŷn â'r creu ac esblygiad

Mae gwyddoniaeth fodern wedi tanseilio'r darlun traddodiadol hwn o'r creu. Mae damcaniaeth esblygiad Darwin yn awgrymu fod bodau dynol wedi esblygu, dros gyfnod maith iawn, o greaduriaid eraill. Er mai dyma'r bodau mwyaf deallus sydd wedi datblygu hyd yn hyn, does dim gwahaniaeth hanfodol rhwng bodau dynol ac anifeiliaid eraill. Dydy hyn ddim yn poeni'r rhan fwyaf o bobl grefyddol. Heb ddiystyru neu anwybyddu esboniadau gwyddonol, mae'n dal yn bosibl gweld daioni Duw yn y byd naturiol a chredu'n gryf mai cyfrifoldeb y ddynolryw ydy gwarchod harddwch a ffrwythlondeb y ddaear.

Y Cyfamod

Un o elfennau hanfodol y ffydd Iddewig ydy mai'r Iddewon gafodd eu dewis gan Dduw. Mae'r Torah'n adrodd cyfres o gytundebau rhwng Duw ag unigolion. Yn bwysicaf oll, mae'n gorchymyn i Abraham, y cyntaf o'r Patriarchiaid, i gadw ei gyfraith; y wobr am hynny fydd fod disgynyddion Abraham (h.y., yr Iddewon) yn cael ffynnu yng ngwlad Canaan. Mae Llyfr Deuteronomium yn dysgu: 'Yr ydych chwi yn bobl sanctaidd i'r Arglwydd eich Duw. Y mae'r Arglwydd eich Duw wedi eich dewis o blith yr holl bobloedd sydd ar wyneb y ddaear' (Deuteronomium 7: 6). Chafodd yr Iddewon mo'u dewis, fel mae'r testun yn egluro, am mai nhw oedd y grŵp pwysicaf neu fwyaf niferus, 'ond am fod yr Arglwydd yn eich caru ac yn cadw'r addewid a dyngodd i'ch tadau' (7: 8).

Pwnc seminar

Mae dweud fod Duw yn drosgynnol ac yn fewnfodol yn baradocs.

Beth ydy ystyr hyn? Sut all y ddau ddisgrifiad o berthynas Duw gyda bodau dynol fod yn wir?

Pwnc seminar

Ydy hi'n bosibl cysoni fersiwn Genesis o'r creu â darganfyddiadau gwyddoniaeth fodern am darddiad y byd a tharddiad bywyd dynol?

Caiff swyddogaeth yr Iddewon ei hegluro'n fanwl yn Llyfr Exodus hefyd: 'Os gwrandewch yn ofalus arnaf . . . byddwch yn eiddo arbennig i mi ymhlith yr holl bobloedd . . . Byddwch hefyd yn deyrnas o offeiriaid i mi ac yn genedl sanctaidd' (Exodus 19: 5-6).

Cosb a braint

Mae'n hanfodol pwysleisio nad ydy dewis Duw yn golygu y caiff yr Iddewon freintiau yn ddiamod. Gan fod Iddewon yn credu eu bod mewn perthynas gyfamod, mae cyfrifoldeb mawr yn hynny o beth. Bargen ddwyochrog ydy cyfamod: mae'r ddwy ochr wedi ymuno â hi o'u gwirfodd, ac mae cosb am anufuddhau yn ogystal â breintiau. Dim ond os bydd y bobl yn parhau i ufuddhau i orchmynion Duw y byddan nhw'n cael eu dewis. Os byddan nhw'n anufudd, ac yn cefnu ar Dduw, yna bydd trychineb yn digwydd i'r genedl.

Ffenestr gwydr lliw yn y Synagog yn Abertawe, yn dangos y deuddeg llwyth.

Mae Iddewon modern yn meddwl llawer am y gorffennol - ydy hyn yn rhesymol?

Mae Alan Segal yn egluro mai cyfamod ('berith') ydy 'syniad trefniadol canolog crefydd yr Israeliaid. Term diwinyddol yw hwn, sy'n golygu fwy neu lai beth mae "cytundeb" yn ei olygu heddiw. Mae pwrpas bywyd yn cael ei ddiffinio gan y berthynas gytundebol arbennig y mentrodd Abraham, Isaac, Jacob a Moses arni gyda Duw. Mae'r cyfamod yn dweud yn union pa fath o ymddygiad dynol mae Duw'n ei ddymuno a pha fath o ymddygiad nad yw'n ei ddymuno. Mae'n rhoi mandad dwyfol i gyfreithiau eu cymdeithas.'
W. Oxtoby (gol.), *World Religions: Western Traditions*, OUP, 1996, tud. 23.

'All yr un Iddew ddweud wrth Iddew arall sut i fyw. Rydyn ni'n gyfrifol amdanon ni'n hunain. Yr Iddew da ydy'r person sy'n esiampl i eraill, yr un sy'n "byw" hynny. Os oes rhywun yn rhoi esiampl i eraill, mae'n gwneud i mi eisiau ei efelychu, a gwn mod i'n methu.'

David, Abertawe

Mae Llyfr Exodus yn mynd ymlaen i ddisgrifio sut y darllenodd Moses Lyfr y Cyfamod wrth y bobl. Wedi iddo orffen, gwelodd y bobl beth roedd hyn yn ei olygu a derbyn eu dyletswydd, gan ddweud: 'Fe wnawn y cyfan a ddywedodd yr Arglwydd, a byddwn yn ufudd iddo' (Exodus 24: 8). Ond yn ystod hanes yr Iddewon, trodd y bobl oddi wrth Dduw yn aml. Dro ar ôl tro, dyma'r proffwydi'n rhybuddio beth fyddai canlyniadau erchyll hynny. Mae Hosea, yn yr 8fed ganrif COG, yn disgrifio Duw yn gwrthod yr Iddewon: 'A dywedodd yr Arglwydd, "Enwa ef Nid-fy-Mhobl, oherwydd nid ydych yn bobl i mi, na minnau'n Dduw i chwithau"' (Hosea 1: 9).

Yn 721 COG, cafodd deg llwyth gogleddol Israel eu goresgyn gan fyddin yr Asyriaid, a'u caethgludo i Asyria. Priododd yr

Iddewon â phobloedd eraill yno, a cholli eu hunaniaeth arbennig am byth. Dim ond dau o'r deuddeg llwyth oedd ar ôl. Er gwaetha'r dystiolaeth amlwg yma fod Duw wedi cefnu arnyn nhw, allai'r proffwydi ddim credu y byddai Duw'n aberthu'r bobl roedd wedi eu dewis yn llwyr. Mynnai Hosea, ar sail ei brofiad ei hunan o briodas anhapus, y byddai Duw yn maddau i'w bobl dro ar ôl tro. Meddai Duw: 'Pa fodd y'th roddaf i fyny, Effraim, a'th roi ymaith, Israel . . . Newidiodd fy meddwl ynof; enynnodd fy nhosturi hefyd' (Hosea 11: 8). Hyd yn oed heddiw, byddai Iddewon duwiol (rhai sy'n cadw'r holl orchmynion ac yn ceisio byw bywyd da) yn cytuno. Er gwaetha'u hanes ofnadwy o alltudiaeth ac erledigaeth, a ddaeth i'w anterth pan lofruddiodd Hitler chwe miliwn yn yr Holocost, mae'r Iddewon wedi goroesi. Maen nhw'n dal i gynnig eu gweledigaeth grefyddol unigryw i'r byd.

Milwyr Natsïaidd yn gyrru Iddewon allan o geto Warsaw yn yr Ail Ryfel Byd.

Pam allai rhai pobl ei chael hi'n anodd credu mewn Duw tosturiol gyda cymaint o ddioddefaint yn y byd?

Byw gydag etholedigaeth

Serch hynny, dydy'r Iddewon eu hunain ddim wedi bod yn gysurus bob amser â'r syniad o gael eu dewis. Aeth un stori ar led fod y fraint wedi cael ei chynnig i'r holl genhedloedd eraill gyntaf, gyda phob un yn ei thro yn gwrthod am nad oedden nhw am ufuddhau i Torah Duw. Dim ond pan fygythiodd Duw fod dinistr wrth law y gwnaeth yr Iddewon, y lleiaf o'r pobloedd, gytuno i gefnu ar eu hen ffyrdd ac ufuddhau i'r gorchmynion. Fel mae'r hen jôc yn dweud, gyda'r holl drychinebau yn hanes maith yr Iddewon, efallai ei bod hi'n hen bryd i Dduw ddewis rhywun arall!

Yn sicr, dydy'r athrawiaeth ddim yn gwneud yr Iddewon yn boblogaidd yn y byd y tu allan. O'i ddyddiau cyntaf bron, mae'r Eglwys Gristnogol wedi dysgu fod yr Iddewon wedi aberthu eu safle arbennig am iddyn nhw wrthod derbyn Iesu fel eu Meseia. Yn lle hynny, mae Cristnogaeth yn dysgu mai'r Eglwys ydy Israel newydd etholedig Duw. Mae rhai pobl wrth-Semitaidd (pobl sydd â rhagfarn yn erbyn Iddewon) yn dweud fod yr athrawiaeth yn hiliol. Maen nhw'n dadlau fod yr Iddewon yn meddwl eu bod nhw'n well na neb arall. Efallai mai'r person wnaeth grynhoi'r agwedd negyddol yma orau oedd y bardd o Sais, Hilaire Belloc, a sgrifennodd: 'How odd of God, to choose the Jews!' Yr unig ymateb i hynny ydy llinell y bardd anhysbys: 'It isn't odd! The Jews chose God!'

Tasgau

Tasgau sgrifennu	Eglurwch, gan roi enghreifftiau, gred yr Iddewon mewn etholedigaeth.
	'Mae Iddewon yn gweld y ffaith eu bod yn etholedig fel cyfrifoldeb a nid braint.' Pa mor gywir ydy'r farn yma?
Tasg ymchwil	Gwnewch grynodeb o'r ffynonellau Beiblaidd ar gyfer y gred mewn pobl etholedig.

Sancteiddio hanes

Mae'r Torah cyfan yn cael ei weld fel disgrifiad o weithgareddau Duw o fewn hanes, o fan cychwyn creu'r byd. Er enghraift, nid dim ond digwyddiad hanesyddol ydy rhyddhau'r Iddewon o'r Aifft yn Exodus; mae'r digwyddiad wedi cael ei sancteiddio, mae'n gysegredig, am mai Duw achosodd i'r peth ddigwydd. Mae gweithredoedd Duw yn cael eu gweld drwy ei berthynas â'i bobl, yr Iddewon, ac mae'r gweithredoedd hynny'n effeithio ar holl bobloedd y byd.

Fel rydym wedi gweld, mae Llyfr Exodus yn disgrifio Duw yn addo y bydd yr Iddewon 'yn deyrnas o offeiriaid' (Exodus 19: 6). Mae'r Iddewon eu hunain wedi deall wrth hynny fod ganddyn nhw genhadaeth i hysbysu'r byd am fodolaeth yr un gwir Dduw. Dydyn nhw ddim yn disgwyl i an-Iddewon ufuddhau i holl 613 cyfraith y Torah. Gorchmynion i'r Iddewon yn unig ydy'r rheini. Mae'n ddigon i bawb arall ufuddhau i nifer fach o reolau moesol sylfaenol, fel peidio â llofruddio, cyflawni llosgach, godinebu nac eilunaddoli. Ar yr un pryd, maen nhw'n credu mai'r Torah ydy'r glasbrint ar gyfer popeth sy'n bod. Mae Llyfr y Diarhebion, un o lyfrau adran Ketuvim y Tanach, yn dweud fod Doethineb Dwyfol wedi chwarae rhan hanfodol yn y creu: 'Trwy ddoethineb y sylfaenodd yr Arglwydd y ddaear, ac â deall y sicrhaodd y nefoedd; trwy ei ddeall y ffrydiodd y dyfnderau, ac y defnynna'r cymylau wlith' (Diarhebion 3: 19), a 'phan oedd yn cynllunio sylfeini'r ddaear, yr oeddwn i wrth ei ochr yn gyson, yn hyfrydwch iddo beunydd, yn ddifyrrwch o'i flaen yn wastad . . . Yn awr, blant, gwrandewch arnaf; gwyn eu byd y rhai sy'n cadw fy ffyrdd' (Diarhebion 8: 29-30, 32). Yn draddodiadol, credai pobl mai'r Torah oedd y doethineb dwyfol hwnnw.

Felly, mae'r Torah'n bwysig drwy'r holl fydysawd. Mae 'cyfraith' yn gyfieithad llawer rhy gul. Dylid deall y gair fel 'cyfarwyddyd', 'dysgeidiaeth' neu hyd yn oed 'patrwm'. Erbyn y ganrif 1af OG, roedd y rabbiniaid yn dysgu fod y Torah, ymhell cyn creadigaeth y bydysawd, yn gorwedd ym mynwes Duw ac yn canu ei glod gyda'r angylion. Roedd pobl yn credu nid yn unig fod y Torah yn disgrifio holl weithredoedd Duw mewn hanes, ond fod Duw wedi darllen y Torah cyn mynd ati i greu'r bydysawd, a'i fod wedi chwarae rhan yn y broses o wneuthur y byd.

Disgwyl am y Meseia

Ynghyd â'r syniad yma fod hanes dynol ynghlwm wrth weithredoedd Duw mae'r gred y bydd Duw yn danfon Meseia, brenin newydd, a fydd yn casglu'r Iddewon yn ôl o'u halltudiaeth ac yn sefydlu gwirionedd a chyfiawnder am byth. Disgrifiodd y proffwyd Eseciel beth fyddai'n digwydd yn y dyfodol: 'Fel hyn y dywed yr Arglwydd Dduw: "Wele fi'n cymryd yr Israeliaid o blith y cenhedloedd lle'r aethant . . . byddant hwy'n bobl i mi, a minnau'n Dduw iddynt hwy . . . a bydd fy ngwas Dafydd yn dywysog iddynt am byth. Gwnaf gyfamod heddwch â hwy . . . Yna, pan fydd fy nghysegr yn eu mysg am byth, bydd y cenhedloedd y gwybod mai myfi, yr Arglwydd, sy'n sancteiddio Israel'"(Eseciel 37: 21-28).

Ffenestr gwydr lliw yn y Synagog yn Abertawe, yn dangos Seren Dafydd.

Mae'n amlwg nad ydy'r sefyllfa hapus hon wedi dod i fod eto. Dyna pam nad ydy'r Iddewon yn credu mai Iesu o Nasareth, na nifer o rai eraill sydd wedi hawlio'r enw, oedd y Meseia roedd Duw wedi ei addo. Mae Iddewon duwiol yn dal i ddisgwyl amdano. Mae eraill wedi rhoi'r gorau i obeithio. Aeth y mudiad Seionaidd (sy'n cefnogi'r Israel fodern) ati i droi'r addewid crefyddol yn ymgyrch wleidyddol dros sefydlu cartref cenedlaethol i'r Iddewon. Yn y 19eg ganrif, gwrthododd y mudiad Diwygiedig y syniad o Feseia. Yn lle hynny, roedden nhw'n edrych ymlaen at oes euraid gyffredinol, pan fyddai'r byd, diolch i wyddoniaeth a diwygio cymdeithasol, yn cael ei berffeithio gan fodau dynol. Er gwaethaf y gwahaniaethau barn yma, mae'r Iddewon yn cytuno fod llawer heb ei wneud o hyd. Ym mhob gwasanaeth synagog maen nhw'n gweddio am adeg pan 'fydd yr Arglwydd yn Frenin ar yr holl ddaear, y diwrnod hwnnw bydd yr Arglwydd yn Un a'i enw'n Un.'

Cenhadaeth yr Iddewon i'r byd

Yr Iddewon ydy ceidwaid y Torah; drwy hynny, mae ganddyn nhw genhadaeth neilltuol i'r byd. Drwy eu ffyddlondeb i orchmynion Duw, maen nhw'n tystio i wir fodolaeth Duw. Yn y pen draw, maen nhw'n credu y bydd y dystiolaeth yma yn trawsnewid pob peth. Disgrifiodd y proffwyd Eseia sut y bydd holl bobloedd y byd yn cael eu goleuo yn y pen draw: 'Yn y dyddiau diwethaf bydd mynydd tŷ'r Arglwydd wedi ei osod yn ben ar y mynyddoedd ac yn uwch na'r bryniau. Dylifa'r holl genhedloedd ato, a daw pobloedd lawer, a dweud, "Dewch, esgynnwn i fynydd yr Arglwydd, i deml Duw Jacob; bydd yn dysgu i ni ei ffyrdd, a byddwn ninnau'n rhodio yn ei lwybrau." Oherwydd o Seion y daw'r gyfraith, a gair yr Arglwydd o Jerwsalem. Barna ef rhwng cenhedloedd, a thorri'r ddadl i bobloedd lawer; curant eu cleddyfau'n geibiau, a'u gwaywffyn yn grymanau. Ni chyfyd cenedl gleddyf yn erbyn cenedl, ac ni ddysgant ryfel mwyach' (Eseia 2: 2-4).

Pwnc seminar

Oedd yr Iddewon yn iawn i fod wedi gwrthod credu fod Iesu yn feseia?

Tasgau

Tasg ymchwil	Casglwch doriadau papur-newydd a thystiolaeth o'r Rhyngrwyd sy'n dangos cred rhai Iddewon fod ymgyrchu o blaid gwladwriaeth fodern Israel yn helpu i gyflawni'r cyfamod Beiblaidd, a rhowch eich sylwadau ar hyn.
Tasgau sgrifennu	Eglurwch sut mae'r Iddewon yn deall y cyfamod. Aseswch y farn fod teyrngarwch yr Iddewon i'r cyfamod o fudd i bawb.

Geirfa

amldduwiaeth	Cred mewn nifer o dduwiau. Cred amldduwiol oedd crefydd Canaan. Mae Iddewiaeth yn gwbl undduwiol.
cyfamod	'Addewid', y berthynas arbennig rhwng Duw a'i bobl, yr Iddewon, sy'n cael ei disgrifio sawl gwaith, mewn gwahanol ffyrdd. Yn ôl y cyfamod, rhaid i'r Iddewon gadw'r gorchmynion a gwneud arwydd y cyfamod drwy enwaedu eu meibion wyth-diwrnod oed; ochr Duw o'r cyfamod ydy addo gwlad Israel i'r bobl.
eilunaddoli	Y pechod o addoli eilun, person, neu unrhyw beth heb law am Dduw. Mewn Iddewiaeth, mae'n golygu addoli unrhyw dduwiau eraill heb law am Dduw Israel.
meseia	Brenin neu arweinydd mawr a fydd, yn ôl y proffwydi, yn dod â'r Iddewon yn ôl i Israel a'u llywodraethu yno yn ôl cyfreithiau Duw.
mewnfodol	Presenoldeb Duw yn y byd a mewn natur.
Pobl Etholedig	Y gred fod yr Iddewon wedi cael eu dewis gan Dduw i fod â chenhadaeth a chyfrifoldeb arbennig.
sancteiddio	'Gwneud yn gysegredig.' Mae Iddewon yn credu fod hanes yn cael ei sancteiddio drwy weithredoedd Duw o'i fewn.
Seion	Enw un o'r bryniau yn Jerwsalem. Daeth y gair Seion i olygu holl wlad Israel gynt, fel gwlad yr addewid.
trosgynnol	Duw fel rhywbeth uwch law a thu hwnt i'r byd, y tu hwnt i ddeall dynol, yn uwchraddol i'r holl gread.
y mudiad Diwygiedig	Mudiad a gychwynnodd yn y 19eg ganrif oedd yn annog Iddewon yn byw yn y diaspora (y tu allan i Israel) i fod yn aelodau llawn o'r cymdeithasau roedden nhw'n byw ynddyn nhw, a bod ag agwedd fodernaidd tuag at yr ysgrythurau. Dydy llawer o Iddewon Diwygiedig ddim yn cadw pob un o'r 613 o mitzvot.

Mishnah a Midrash

Nod

Ar ôl astudio'r bennod yma, dylech fod yn gallu dangos yn glir eich bod yn gwybod ac yn deall effaith dinistr yr Ail Deml ar Iddewiaeth. Dylech allu sylwi ar bwysigrwydd ysgolheictod, dadleuon cyfreithiol a'r Gyfraith Lafar ym mharhad Iddewiaeth. Dylech hefyd fod yn gallu asesu pwysigrwydd y Mishnah, a'i chwe adran, y Tosefta a'r Midrash yn natblygiad y traddodiad Rabbinaidd, ac mewn Iddewiaeth heddiw.

Yn y ganrif gyntaf OG, roedd Gwlad yr Addewid yn rhan o Ymerodraeth anferth y Rhufeiniaid. Yn 70 OG gwrthryfelodd yr Iddewon yn erbyn eu meistri Rhufeinig ac yn ystod y rhyfel cafodd y Deml yn Jerwsalem ei dinistrio a'r Iddewon eu gwasgaru.

Bwa Titus, yn dangos milwyr Rhufeinig yn ysbeilio Teml Jerwsalem.

Ystyriwch beth oedd effaith dinistr y Deml yn 70OG ar Iddewiaeth.

Roedd hon yn drychineb tu hwnt i bob dychymyg. Doedd dim modd aberthu bob dydd nawr, a doedd dim canolfan i bererinion y byd Iddewig bellach. Gyda'r Deml yn adfail llosg, byddai wedi bod yn hawdd iawn i Iddewiaeth ddiflannu fel y gwnaeth cymaint o grefyddau'r hen fyd. Llwyddodd i oroesi'r digwyddiad hwn, y Gwasgariad, oherwydd iddi ymaddasu i'r amgylchiadau newydd.

Roedd llawer o Iddewon eisoes yn byw y tu allan i Israel. Roedden nhw wedi trefnu ysgolion cymunedol ac addoldai o'r enw synagogau. Aeth yr adeiladau hyn yn ganolbwynt i'r gymuned leol. Gallai pobl ddarllen yr Ysgrythurau, eu hastudio a'u trafod yno; roedd plant yn cael eu hyfforddi a gwasanaethau cyson (heb aberthu) yn cael eu cynnal. Er i'r Deml gael ei dinistrio, roedd grwpiau o ysgolheigion (y Tannaim, yn llythrennol, 'yr ailadroddwyr') yn parhau i gwrdd. Ffurfiodd y rhain academïau a chanolbwyntio ar ddatblygiad y traddodiad cyfreithiol ac ar ystyr manwl-gywir geiriau'r Beibl. Yn y pen draw, yn y 3edd ganrif OG, cynhyrchodd hyn y Mishnah a'r Midrash.

Pwnc seminar

Awgrymwch rai rhesymau dros barhad Iddewiaeth wedi'r Gwasgariad.

Natur y Mishnah

Y Mishnah ydy'r cofnod o'r trafodaethau cyfreithiol a fu yn yr academïau hyn; y gair am ddehongliad rabinaidd o'r Tanach ydy Midrash. Drwy'r cynulliadau hyn, roedd modd trefnu materion eraill hefyd. Er enghraifft, pennwyd canon terfynol y Tanach, sefydlwyd y patrwm ar gyfer gweddïau dyddiol rheolaidd, ac addaswyd llawer o ddefodau'r hen Deml at ddefnydd yn y synagog. Cafodd goruchaf lys yr Iddewon (y Sanhedrin) ei ailsefydlu a chafodd pennaeth y Sanhedrin (y Nasi) ei gydnabod yn ben ar yr holl gymuned Iddewig. Cyfrifoldeb y Nasi fyddai casglu trethi, penodi barnwyr lleol, a chadw cysylltiad rhwng cymunedau bach y byd Iddewig. Chafodd y gorffennol mo'i anghofio. Cafodd dysgeidiaethau ysgolheigion o fri fel Hillel a Shammai, o gyfnod dyddiau olaf y Deml, eu crynhoi. Ym mlynyddoedd olaf y ganrif gyntaf OG sefydlodd Rabbi Johanan ben Zakkai (disgybl i Hillel) yr academi gyntaf. (Roedd enwau Iddewon y cyfnod hwn yn golygu 'Rhywun fab Rhywun', hynny yw, mae 'ben' neu 'bar' yr un fath ag 'ab' neu 'ap' yn Gymraeg.)

Erbyn y drydedd ganrif roedd y dehongliadau cyfreithiol hyn wedi mynd yn gymhleth iawn. Roedden nhw'n cael eu diogelu ar lafar, ond roedd yn bryd gwneud cofnod ysgrifenedig parhaus ohonyn nhw. Roedd rhai wedi ceisio rhoi trefn ar y deunydd yn gynharach, ond heb ei grynhoi yn ôl y gwahanol bynciau. Beth oedd ei angen oedd cofnod awdurdodol o'r dadleuon ynghyd â phenderfyniadau'r Tannaim enwocaf ar bob pwnc neilltuol. Cafodd y testun terfynol ei lunio gan Jwda haNasi. Fel mae ei enw'n awgrymu, Jwda oedd pennaeth y Sanhedrin ac roedd e'n ddyn pwysig iawn yn y gymuned.

Ystyr y gair Mishnah yn llythrennol ydy 'traddodiad a draddodwyd'. Cafodd y testun sgrifenedig terfynol ei rannu'n chwe adran o reolau, sef y Sedarim.

Y Sedarim

Mae'r cyntaf, **Zeraim** ('hadau') yn ymdrin â bendithion a deddfau amaeth. Mae'r ddau beth yn gysylltiedig, oherwydd rhodd gan Dduw ydy bwyd ac mae'n briodol diolch i Dduw ar ddechrau adran o reolau ar amaeth. Ar ôl egluro'r gweddïau dyddiol a'r Shema a'r Amidah, mae'n egluro'r deddfau am roi bwyd i'r tlodion, rhoi degwm i'r offeiriaid, y syniad o flwyddyn sabothol, neu'r seithfed flwyddyn pan ddylai caeau gael eu gadael heb eu trin. Mae hefyd yn egluro'r deddfau ynglŷn â pheidio â chymysgu gwlân a lliain neu beidio â phlannu hadau neilltuol gyda'i gilydd.

Llawysgrif o'r Mishnah.

Pam oedd astudio'r ysgrythurau a thrafod y gyfraith mor bwysig i barhad Iddewiaeth wedi dinistr yr Ail Deml?

Mae'r ail, **Mo'ed** ('tymhorau') yn ymdrin â deddfau'r Saboth, dyddiau gŵyl, a dyddiau ymprydio. Er enghraifft, mae llawer o drafod ar weithgareddau sydd yn 'melachot' ('wedi eu gwahardd ar y Saboth'), a llawer ar y dyletswydd i fynd ag unrhyw hametz ('lefain') o'r tŷ cyn Pesach (y Pasg Iddewig), yn ogystal â manylion technegol eraill am gadw'r dyddiau gŵyl.

Mae'r drydedd adran, **Nashim** ('menywod') yn ymdrin yn bennaf â rheolau priodas ac ysgariad. Er enghraifft, mae'n trafod deddfau Priodas Lefiraidd - lle mae gweddw heb blant yn priodi brawd ei gŵr marw i sicrhau fod ei enw'n parhau. Mae'n trafod diod arbennig y dylid ei rhoi i fenyw mae pobl yn amau ei bod yn godinebu, ac mae hefyd yn trafod y ddogfen ('get') sydd ei hangen ar gyfer ysgariad, sy'n cael ei chyhoeddi gan y gŵr.

Mae'r bedwaredd, **Nezikin** ('iawndal') yn ymdrin â'r gyfraith sifil a throseddol yn cynnwys cosbau, a deddfau eilunaddoli. Er enghraifft, mae'n disgrifio cosbi drwy ddienyddio, chwipio, alltudio, ac ati. Mae'n trafod y gyfraith ar eiddo, hawliau gweithwyr, prynu a gwerthu tir a thyngu llw. Mewn adran o'r enw avodah zarah, neu 'addoli dieithr' mae'n trafod y gwaharddiad ar eilunaddoli.

Mae'r pumed, **Kodashim** ('pethau sanctaidd') yn trafod aberthu a defodau'r Deml. Er enghraifft, yr adran yma sy'n trafod aberthau kosher a pasul ('annilys') a dyma lle ceir y deddfau Kashrut. Mae disgrifiad o gynllun yr Ail Deml yn yr adran hon hefyd.

Mae'r chweched, **Tohorot** ('purdeb') yn ymdrin â phwnc cymhleth purdeb defodol. Aeth llawer o'r deddfau purdeb defodol yn amherthnasol wedi dinistr yr Ail Deml yn 70 OG, ond mae Iddewon heddiw yn dal i ufuddhau i'r rheolau am y misglwyf, h.y., bod menyw yng nghyfnod ei misglwyf yn amhur nes iddi ymdrochi yn y baddon defodol ('mikveh') pan ddaw ei misglwyf i ben.

Mae pob un o'r chwe adran o reolau yn cynnwys nifer o gyfrolau ac mae pob cyfrol wedi ei rhannu'n benodau. Mae cyfanswm o 63 o gyfrolau a 523 o benodau.

Dywediadau'r Tadau

Mae'r deunydd bron i gyd yn ymwneud â'r gyfraith, ond gydag un eithriad pwysig. Teitl nawfed cyfrol adran Nezikin yw 'Dywediadau'r Tadau', sef casgliad hyfryd o ddywediadau rabbinaidd a chyngor moesol. Mae'n cychwyn drwy sefydlu cadwyn o awdurdod yn tarddu gyda Moses, drwy'r hynafgwyr a'r proffwydi i 'wŷr y Cynulliad Mawr'. Mae'r traddodiad yn parhau drwy Hillel a Shammai, drwy eu disgybl, Rabbi Gamaliel II, drwy ei fab yntau, Simeon, drwy fab hwnnw, Jwda haNasi ac, i gloi, drwy fab Jwda, y trydydd Gamaliel. Mae'n debyg, felly, fod y dywediadau hyn yn dod o'r oesoedd cynnar iawn.

'Dywediadau'r Tadau' yw rhan fwyaf adnabyddus a mwyaf hoffus y Mishnah. Mae'n cael ei gynnwys yn y rhan fwyaf o argraffiadau o'r llyfr gweddi Iddewig ac mae'n llawn darnau bydd pobl yn eu dyfynnu: 'Ar dri pheth y seiliwyd y byd: ar y Torah, ar wasanaeth, ac ar arfer elusengarwch ... Byddwch o blith disgyblion Aaron, yn caru ac yn ceisio am heddwch, yn caru eich cydgreaduriaid ac yn eu dwyn tuag at y Torah ... Os nad wyf o'm plaid fy hun, pwy fydd o'm plaid? Ac os wyf o'm plaid fy hun, pwy ydwyf? Ac os nad yn awr, pa bryd?'

Mae'n cynnwys datganiad enwog ynglŷn â charu eich cymdogion hefyd:
'Na foed i ddyn ddod i arfer dweud, "Câr y doeth a chasa'r disgyblion, câr y disgyblion ond casa'r anwybodus, ond yn hytrach, 'câr bawb' gan gasáu yr heretic, y gwrthgiliwr a'r achwynwyr yn unig', fel y mae Dafydd yn dweud, 'Onid wyf yn casáu y rhai a'th gasant?' 'Câr dy gymydog fel ti dy hun, myfi yw'r Arglwydd.'

Deddfau'r Mishnah

Mae deddfau'r Mishnah yn cael eu cyflwyno yn ôl fformiwla sefydlog. O fewn yr academïau, byddai deddfau'r Torah yn cael eu trafod, gyda'r bwriad o ddileu unrhyw amwysedd fel na allai neb dorri'r gyfraith drwy gamgymeriad. Er enghraifft, mae Llyfr Deuteronomium yn dweud na chaiff dyn, wedi iddo ysgaru ei wraig, ei derbyn yn ôl o dan amgylchiadau neilltuol: 'Os bydd dyn wedi cymryd gwraig a'i phriodi, a hithau wedyn heb fod yn ei fodloni am iddo gael rhywbeth anweddus ynddi, yna y mae i ysgrifennu llythyr ysgar iddi, a'i roi yn ei llaw a'i hanfon o'i dŷ. Wedi iddi adael ei dŷ, os daw yn wraig i rywun arall, a hwnnw wedyn yn ei chasáu ac yn ysgrifennu llythyr ysgar iddi, a'i roi yn ei llaw a'i hanfon o'i dŷ, neu os bydd yr ail ŵr yn marw, yna ni all ei phriod cyntaf, a oedd wedi ei hysgaru, ei hailbriodi . . .' (Deuteronomium 24: 1-3).

Mae'r cwestiwn yn codi wedyn, a oes gwaharddiad llwyr ar ailbriodi cyn-wraig, neu ddim ond pan fydd hi wedi bod gyda dyn arall? Dyma sut roedd y Tannaim yn ceisio datrys y broblem: 'Os bydd dyn yn ysgaru ei wraig oherwydd bod ganddi enw drwg, ni chaiff ei chymryd yn ôl, ac os gwna oherwydd llw, ni chaiff ei chymryd yn ôl. Meddai Rabbi Jwda: os bydd yn ei hysgaru oherwydd llw mae llawer o bobl yn gwybod amdano, ni chaiff ei chymryd yn ôl, ond os mai dim ond ychydig o bobl sy'n gwybod amdano, caiff ei chymryd yn ôl. Meddai Rabbi Meir: ni chaiff ei chymryd yn ôl os oes rhaid cael barn dyn doeth i ddadwneud y llw, ond os yw'n llw y gallai ei ddadwneud ei hun, gallai ei chymryd yn ôl . . . Dwedodd Rabbi Jose ben Rabbi Jwda: un tro, yn Sidon, dwedodd dyn wrth ei wraig, "Fe roddaf bopeth i ffwrdd os na wnaf dy ysgaru!" Ac fe'i hysgarodd. Ond rhoddodd y doethion ganiatâd iddo ei chymryd yn ôl fel mesur diogelwch er lles i bawb. Os bydd dyn yn ysgaru ei wraig am ei bod yn anffrwythlon, mae Rabbi Jwda yn dweud: ni chaiff ei chymryd yn ôl. Ond mae'r doethion yn dweud: Caiff ei chymryd yn ôl' (Mishnah: Gittin IV).

Awdurdod y mwyafrif

Oherwydd fod y Mishnah yn gofnod o'r trafodaethau cyfreithiol yma, mae'n cynnwys pob barn wahanol. Yr ateb terfynol a chywir (y penderfynwyd arno drwy bleidlais y mwyafrif) ydy'r un sydd wedi ei restru olaf. Felly, yn y darn uchod, mae Rabbi Jwda, er gwaethaf ei ddysg a'i fri, yn anghywir. Mae'r mwyafrif ('y doethion') yn cytuno y caiff dyn gymryd ei wraig anffrwythlon yn ôl. Doedd dim gwahaniaeth faint o sant oedd unigolyn, neu pa mor glyfar, penderfyniad y mwyafrif oedd yn cyfrif.

Mae stori enwog am Rabbi Elieser. Roedd wedi defnyddio pob dadl bosibl i ddarbwyllo'r academi mai fe oedd yn iawn, yn cynnwys hyd yn oed gwneud cyfres o wyrthiau. Cafodd ei anwybyddu gan y doethion, a ddwedodd na fydden nhw'n gwrando ar hyd yn oed lais o'r Nefoedd gan fod y Torah yn dweud 'Drwy fwyafrif y dylech farnu' (Exodus 23: 2, yn ôl dehongliad y rabbiniaid). Mae'r stori'n dweud wedyn fod Rabbi Nathan wedi cwrdd â'r proffwyd Elias. Gofynnodd iddo beth fyddai Duw yn ei wneud pan fyddai pobl yn anwybyddu ei lais. Atebodd Elias fod Duw wedi chwerthin a dweud fod ei blant wedi ei drechu!

Y Tosefta

Ochr yn ochr â'r Mishnah, mae casgliad arall o'r deddfau llafar, sef y Tosefta (yn llythrennol, 'atodiad'). Mae hwn hefyd wedi ei rannu'n chwe adran â'r un enwau ag yn y Mishnah. Does neb yn gwybod beth yn union ydy'r berthynas rhwng y ddau gasgliad. Mae'n debyg fod y Tosefta yn gofnod llawnach o drafodaethau'r doethion. Yn ychwanegol at hynny, yma ac acw drwy'r Talmudau Babilonaidd a Phalestiniaidd (gweler pennod 4), mae rhagor o ddywediadau'r Tannaim sydd heb gael eu cynnwys yn y Mishnah cyflawn.

Ond er nad ydy'n cynnwys popeth, mae'r Mishnah'n gyfrol hynod. Pan oedd Jwda haNasi, a luniodd y Mishnah, yn marw, mae'n debyg iddo ofyn am fan gorffwys heddychlon gan ei fod wedi gweithio mor galed yn astudio'r gyfraith yn ystod ei fywyd. Dyma lais o'r Nefoedd yn ei sicrhau y byddai'n cael hedd. Drwy roi trefn ar y cawdel o gyfreithiau llafar, a thrwy sgrifennu'r Mishnah, roedd wedi gosod sail gadarn ar gyfer trafod a dehongli pellach.

Pwnc seminar

Archwiliwch fanteision ac anfanteision rhoi awdurdod terfynol mewn materion cyfreithiol i'r 'mwyafrif' yn hytrach nag i unigolion dysgedig.

Y Midrash

Heb law am ddatblygu'r gyfraith lafar, roedd y Tannaim wrthi hefyd yn dehongli testun y Tanach. Roedden nhw'n argyhoeddedig fod y Beibl yn destun cysygredig ac y gallai roi gwybodaeth am ewyllys Duw a dweud wrth bobl sut ddylen nhw fyw o ddydd i ddydd. Roedden nhw'n credu, drwy astudio'n ddwys a dilyn rheolau dehongli manwl, y byddai bwriad Duw ar gyfer ei Bobl Etholedig yn cael ei ddatgelu. Mae astudiaethau o'r fath, sef Midrashim, yn cynnwys straeon, chwedlau, damhegion a moeswersi sydd wedi eu seilio ar y Tanach.

Mae dau fath o ddehongliad rabbinaidd o'r ysgrythur. Y cwbl mae'r math cyntaf yn ei wneud ydy egluro ystyr manwl-gywir darn neilltuol. Mae'r ail fath yn defnyddio'r testun i gefnogi syniad diwinyddol neu gyfiawnhau rhai o'r rheolau ar sut i ymddwyn.

Enghraifft o'r math cyntaf ydy'r Midrash ar Deuteronomium 15: 11: 'Agor dy law yn hael i'th frawd.' Mae'r Tannaim yn egluro fod hynny'n golygu y dylech helpu eich brawd mewn ffordd sy'n gweddu iddo: 'I'r hwn y mae bara yn addas iddo, rhoddwch fara, i'r hwn sydd ag angen toes, rhowch does, i'w hwn sydd ag angen arian, rhowch arian; i'r hwn y mae'n briodol i chi roi bara yn ei geg, rhowch ef i mewn.'

Mae'r ail fath o Midrash yn cychwyn drwy gyflwyno'r pwynt moesegol neu ddiwinyddol mae am ei wneud a gweithio yn ôl i'r testun. Mae'n dweud am Deuteronomium 1: 17 ('Byddwch yn ddiduedd mewn barn'): 'Pan fyddwch yn barnu, a phan ddaw ger eich bron ddau ddyn, y naill yn gyfoethog a'r llall yn dlawd, peidiwch â dweud, "Gallwn gredu geiriau'n dyn tlawd, ond nid rhai'r dyn cyfoethog." Ond fel y byddwch yn gwrando at eiriau'r dyn tlawd, gwrandewch hefyd ar eiriau'r dyn cyfoethog oherwydd dywedir, "Byddwch yn ddiduedd mewn barn".' Yr un fath, yn Exodus 34: 27, ('Ysgrifenna'r geiriau hyn, oherwydd yn ôl y geiriau hyn y gwneuthum gyfamod â thi'): 'Pan ddatgelodd Duw ei hun ar Sinai i roddi'r Torah i Israel, fe'i rhoddodd i Moses yn y drefn - Beibl a Mishnah . . . Mae "ysgrifenna'r geiriau hyn" yn cyfeirio at y Beibl; mae "yn ôl y geiriau hyn" yn cyfeirio at y Mishnah sy'n cadw Israel rhag yr anwariaid.'

Rheolau dehongli

Hyd yn oed cyn dinistr y Deml yn 70 OG, roedd y rabbiniaid wedi dyfeisio a chytuno ar saith rheol ar gyfer dehongli'r Tanach. Ychwanegodd academïau'r ail ganrif chwe rheol arall. Un rheol oedd penderfynu ar achos mwy pwysig drwy ddod i gasgliad amdano ar sail un llai pwysig. Felly, os oes deddf mewn grym mewn achos cymharol ddibwys, yna mae'n rhaid ufuddhau iddi mewn achosion pwysig iawn. Y Saboth ydy'r pwysicaf o'r holl wyliau (gweler pennod 5). Os oes yna rywbeth na ddylid ei wneud ar ddydd gŵyl gyffredin, yna mae hyd yn oed yn fwy pwysig osgoi gwneud hynny ar y Saboth.

Mae'r rheolau yma'n gymhleth ac yn dechnegol, ac efallai fod y darllenydd modern yn teimlo eu bod yn hollti blew ac yn or-ffwdanus. Ond roedden nhw'n sicrhau fod pawb yn cytuno ar egwyddorion sylfaenol egluro testun. Byddai hyn yn sail gadarn i draddodiad o ddysg Iddewig a fyddai'n sicrhau parhad yr holl draddodiad Iddewig.

Tasgau

Tasgau sgrifennu	Eglurwch a disgrifiwch sut mae Iddewon yn cysylltu eu bywydau bob-dydd â'r ysgrythur.
	'Mae traddodiad mor bwysig ag ysgrythur o ran trefn bywydau bob-dydd Iddewon.' Aseswch ddilysrwydd y farn hon.

Geirfa

dehongli rabbinaidd	Mae traddodiad mawr mewn Iddewiaeth o drafodaeth ac ysgolheictod yn y gyfraith, ysgrifenedig a llafar, gan ysgolheigion dysgedig ac athrawon o'r enw Rabbiniaid. Aeth y Rabbiniaid yn bwysig iawn wedi dinistr yr Ail Deml, pan aeth eu dehongliad nhw o faterion cyfreithiol yn bwysicach byth i'r gymuned Iddewig.
diaspora	Unrhyw le, y tu allan i Israel, lle mae Iddewon yn byw.
gwasgariad	Yn 70OG pan gipiodd y Rhufeiniaid Jerusalem a dinistrio'r Deml, cafodd yr Iddewon eu 'Gwasgaru'.
Jwda haNasi	Disgynnydd Hillel, a luniodd y Mishnah. Roedd yn byw ym Mhalesteina yn yr ail ganrif.
kosher	Bwyd sy'n cael ei ganiatáu, hynny yw, mae'n iawn i'w fwyta yn ôl y rheolau bwyd Iddewig (Kashrut).
Midrash	Dehongliad rabbinaidd o'r Beibl Hebraeg.
Mishnah	Cofnod o'r trafodaethau cyfreithiol yn yr academïau a gafodd eu sefydlu gan y Tannaim.
Tannaim	'Yr ailadroddwyr', grŵp o ysgolheigion a ddatblygodd y traddodiad cyfreithiol a gafodd ei drefnu a'i gofnodi yn y pen draw gan Jwda haNasi fel y Mishnah.
y Deml	Cafodd y Deml Gyntaf, Teml Solomon, ei dinistrio gan y Babiloniaid. Cafodd ei hailadeiladu wedi i'r Iddewon ddod nôl o'r gaethlud Fabilonaidd, ond cafodd yr Ail Deml ei dinistrio gan y Rhufeiniaid yn 70OG. Y Deml oedd canolbwynt y grefydd Iddewig. Credid fod Duw yn bresennol yn y Gysegr Sancteiddiolaf, y gysegr fewnol. Dyna'r lle roedd anifeiliaid yn cael eu haberthu, gan barhau â'r traddodiad beiblaidd. Pan gafodd ei dinistrio, roedd rhaid cael hyd i galon y grefydd Iddewig yn yr ysgrythurau ac yn nysgeidiaeth y Rabbiniaid. Doedd canolfan ddefodol y grefydd ddim yn bod mwyach.

Y Talmud, Codau a Responsa

Nod

Ar ôl astudio'r bennod yma, dylech fod yn gallu gwerthuso swyddogaeth a phwysigrwydd y Talmudau mewn Iddewiaeth. Dylech fod yn gallu dangos eich bod yn gwybod ac yn deall y traddodiadau a greodd y Talmudau a pa mor bwysig oedd yr academïau ym mywyd Iddewig y Diaspora. Mae esboniadau pellach ar y gyfraith a chrynodebau ohoni a'r ffordd roedd y Responsa yn gweithio oll yn cael eu trafod, a dylech fod yn gallu asesu pwysigrwydd y traddodiad cyfreithiol i wahanol grwpiau o Iddewon yn y byd heddiw.

Erbyn diwedd yr ail ganrif OG, roedd academïau pwysig ym Mabilon yn ogystal ag yng ngwlad Israel. Yn draddodiadol, Rav ('meistr') fyddai pobl yn galw ysgolheigion Babilon yn lle Rabbi (yn llythrennol 'fy meistr') yn Israel. Amoraim ('llefarwyr') oedd y term cyffredinol am yr ysgolheigion hyn, disgynyddion y Tannaim. Yn yr holl academïau, byddai myfyrwyr yn dysgu sut i gymhwyso athrawiaeth y Mishnah i'w bywydau bob-dydd, ac roedd y ddwy ganolfan mewn cysylltiad cyson.

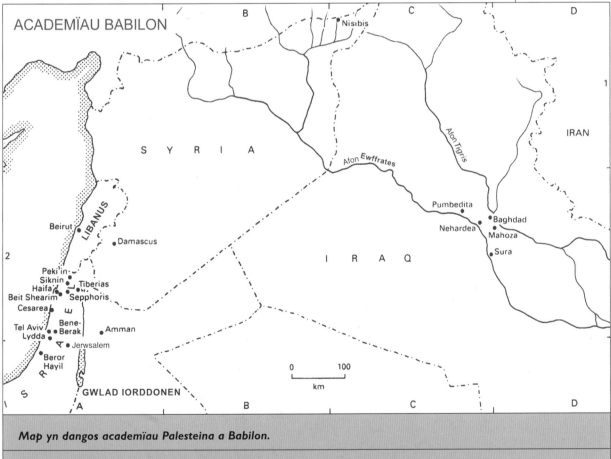

Map yn dangos academïau Palesteina a Babilon.

Yr academïau hyn oedd calon Iddewiaeth. Sut helpon nhw Iddewiaeth i barhau yn y Diaspora?

Erbyn diwedd y bedwaredd ganrif roedd Amoraim Palesteina (enw'r Rhufeiniaid ar Israel) wedi casglu ynghyd athrawiaethau'r cenedlaethau o rabbiniaid ers i'r Mishnah gael ei lunio. Digwyddodd yr un broses ym Mabilon yn y chweched ganrif. Enwau'r cyfrolau yma ydy'r Talmud Palestinaidd (neu Yerushalmi) a'r Talmud Babilonaidd (neu Bavli). Aeth y rhain, yn eu tro, yn sail i astudiaeth bellach ac yn y man, bu'n rhaid crynhoi'r gyfraith Iddewig mewn crynodebau at ddefnydd bob dydd. Y ddau grynodeb enwocaf oedd Mishneh Torah Maimonides, o'r 12fed ganrif, a Shulchan Aruch Joseph Caro o'r 15fed ganrif. O ddyddiau cynnar yr academïau, dechreuodd yr awdurdodau cyfreithiol gyhoeddi'r atebion i broblemau cyfreithiol neilltuol. Mae'r rhain, y responsa ('dyfarniadau') yn dal i gael eu cyhoeddi a'u cylchredeg heddiw.

Y Talmud

Fel y Mishnah, cofnod o drafodaethau ysgolheigaidd ydy'r Talmud Palestinaidd a'r Talmud Babilonaidd. Mae pedair o'r chwe adran o reolau (sedarim) sydd ym Mishnah Jwda haNasi ('Hadau', 'Tymhorau', 'Menywod' a 'Iawndal') yn sail i drafod a dehongli pellach. Yn draddodiadol, mae'r Talmud yn cael ei argraffu gyda'r darn gwreiddiol o'r Mishnah ar ganol y dudalen wedi ei fritho gan esboniadau diweddarach yr Amoraim. Yr enw ar y deunydd ychwanegol yma ydy Gemara ('cwblhad'). Mae'n ehangu'r drafodaeth ar sut gymhwyso dysgeidiaeth y Torah i unrhyw amgylchiadau posibl ar y pryd. Mae testun cyfunedig y Mishnah a'r Gemara yn cael ei osod at ganol pob tudalen yn y Talmud, gyda'r Tosefta ac esboniadau rabbinaidd diweddarach o'i gwmpas. Does neb yn gwybod sut y cafodd y deunydd yma ei gasglu a'i gydosod na chwaith os oedd deunydd tebyg ar gael ar yr adrannau 'Pethau Sanctaidd' a 'Purdeb'. Os oedd, mae wedi bod ar goll ers yr oesoedd canol.

Iaith y Talmud Palestinaidd oedd Aramaeg Orllewinol ac roedd y deunydd yn dod o'r tair academi bwysig yn Cesarea, Tiberias a Sepphoris. Mae'r Talmud Babilonaidd, sydd mewn tafodiaith Aramaeg ychydig yn wahanol, bron bedair gwaith yn hwy - mae'n cynnwys rhyw ddwy filiwn a hanner o eiriau. Nid dim ond deunydd cyfreithiol sydd ynddo, ond chwedlau, llên gwerin, trafodaethau am natur Duw, dysgeidiaeth foesol a swynion hud. Does dim trefn benodol i'r cyflwyniad ychwaith; mae'r drafodaeth yn aml yn herciog neu'n crwydro oddi wrth y pwnc. Mae'r rheolau ar gyfer copïo sgrôl o'r Torah, er enghraifft, yn y gyfrol sy'n ymdrin âg offrymau grawn yn y Deml, ac mae'r rheolau ar gyfer dathlu gŵyl Chanukah wedi eu cynnwys mewn trafodaethau am y Saboth.

Mae un egwyddor adnabyddus yn y gyfraith Iddewig yn dweud y dylid credu barn awdurdod diweddarach yn hytrach na barn un cynharach. Felly, pan nad ydy'r ddau Dalmud yn cytuno, rhaid dilyn y Talmud Babilonaidd. Yn y man, academïau Babilon oedd canolfannau pwysicaf y byd Iddewig. Roedd yr academïau hynny ger Baghdad lle'r oedd y Califf, o'r seithfed ganrif ymlaen, yn rheoli ymerodraeth Islamaidd anferth. Tan y ddegfed ganrif o leiaf, roedd penaethiaid y ddwy academi (y Geonim) yn cael eu cydnabod gan yr awdurdodau gwleidyddol fel arweinwyr crefyddol y gymuned Iddewig ac yn cael eu trin â pharch mawr.

Tasg

Actio rhan	Dychmygwch fod pob aelod o'r dosbarth yn un o'r Tannaim neu'r Amoraim dysgedig. (Dyfeisiwch enwau priodol!) Yna, actiwch drafodaeth ar fater fel y deddfau bwyd (kashrut) neu gadw seder y Pasg Iddewig, neu'r deddfau priodi ac ysgaru.

Cafodd y Talmud ei sgrifennu ymhell cyn i'r wasg argraffu gael ei dyfeisio. Er mwyn ei ddefnyddio yn yr academïau, roedd rhaid ei gopïo'n llafurus â llaw. Yn naturiol, roedd camgymeriadau'n digwydd, ac mae llawer o ddadlau dros ffurfiau gwahanol yn y testun. Serch hynny, ynghyd â'r Tanach a'r Mishnah, mae'r Talmud yn llyfr ag awdurdod yn y byd Iddewig. Mae Iddewon duwiol yn credu ei fod yn tarddu o ysbrydoliaeth ddwyfol. Roedd pobl yn credu fod penderfyniadau'r Amoraim mor ddilys â rhai'r Tannaim. Er gwaethaf y gwrth-ddweud mewnol, ac er gwaetha'r ffaith nad ydy'r deddfau sy'n rheoli offrymu yn y Deml yn berthnasol bellach, mae pobl yn dal i gredu fod y Talmud cyfan yn werth ei astudio. Yr egwyddor ydy dysgu'r gyfraith er ei mwyn ei hun, ac mae addysg Iddewig draddodiadol yn canolbwyntio ar ei hastudio i'r dydd heddiw.

Y Codau

Am fod y Talmud mor amrywiol ac yn ymdrin â llawer o wahanol agweddau ar fywyd, bu'n rhaid llunio codau neu grynodebau o'r gyfraith Iddewig er mwyn i Iddewon cyffredin gael gwybod yn union sut roedd Duw yn disgwyl iddyn nhw ymddwyn. Lluniwyd y codau cyntaf yn yr 8fed ganrif gan academïau Babilon, gyda'r deddfau wedi eu dosbarthu yn nhrefn cyfrolau'r Talmud. Yna, tua diwedd yr 11eg ganrif, lluniodd Isaac Alfasi, o Fez ym Morocco, ei 'Lyfr Cyfreithiau', sef crynodeb o holl ddeddfau'r Talmud oedd yn dal i reoli bywyd ei gymuned yng Ngogledd Affrica.

Maimonides a'r Mishneh Torah

Cod mwyaf dylanwadol y canol oesoedd cynnar oedd cod Moses Maimonides (1135-1204). Mae Maimonides yn cael ei gofio am ei gyfraniadau i draddodiadau cyfreithiol ac athronyddol yr Iddewon ac roedd yn un o arweinwyr blaenllaw Iddewiaeth ganoloesol. Cafodd ei eni yn Cordoba, Sbaen, ond bu'n rhaid iddo ffoi gyda'i deulu i Ogledd Affrica. Crynodeb cynhwysfawr o holl gyfraith yr Iddewon oedd ei Mishneh Torah ('Yr Ail Torah'). Roedd yn ymdrin â phynciau amherthnasol bellach, fel defodau'r Deml, yn ogystal â rheolau bywyd bob-dydd y gymuned. Roedd hefyd yn trafod sylfeini'r grefydd, yn cynnwys pynciau fel natur Duw, ei nodweddion a ffynhonnell moesoldeb.

Mae wedi ei sgrifennu mewn iaith syml ac mae'n llawer haws ei ddarllen na'r Talmud. Dyma ddarn byr ar ymddygiad bob-dydd sy'n dangos hynny. Mae'n bwysig sylwi fod Maimonides yn cyfiawnhau ei farn drwy ddyfynnu geiriau'r doethion (sef y Tannaim a'r Amoraim) a'r Brenin Solomon (mewn darn o'r Tanach). Hyd yn oed wrth grynhoi'r gyfraith, rhaid i'r crynodeb ddal i fod yn rhan o'r traddodiad Iddewig di-dor:

'Ni ddylai dyn fod yn rhy barod i gweryla, na chenfigennu wrth lwc dda pobl eraill, na bod yn chwantus na chwennych bri. Mae'r doethion yn dweud: Mae cenfigen, uchelgais a chwant yn gosod dyn y tu allan i'r byd hwn. Mewn geiriau eraill, dylai dyn weithio tuag at gymedr pob nodwedd, fel bod holl deithi ei gymeriad wedi eu cyfeirio tuag at y llwybr canol. Dyna mae Solomon yn ei olygu pan ddywed: Rho sylw i lwybr dy droed, i'th holl ffyrdd fod yn ddiogel. Paid â throi i'r dde nac i'r chwith.'

(Diarhebion 4: 26-27)

Joseff Caro: y Shulchan Aruch a'r Mappah

Erbyn diwedd yr oesoedd canol, roedd dau draddodiad gwahanol ymhlith yr Iddewon. Roedd yr Ashkenazi yn Iddewon oedd yn byw yng ngogledd Ffrainc, yr Almaen a Dwyrain Ewrop, a'r Seffardi oedd Iddewon Sbaen, gogledd Affrica a gwledydd Islamaidd. Datblygodd gwahanol arferion, ffyrdd o ynganu geiriau a llyfrau gweddi, ond mae'r ddau grŵp wedi cadw mewn cysylltiad erioed a doedd dim amheuaeth am undod y bobl Iddewig.

Yn y 15fed ganrif cyhoeddodd Joseff Caro (1488-1575) ei gôd dylanwadol iawn, y Shulchan Aruch (yn llythrennol 'y bwrdd parod'). Cafodd Caro ei eni yn Sbaen ond symudodd i Dwrci ac, yna i wlad Israel, felly roedd wedi ei drwytho yn y traddodiad Seffardig. O ganlyniad, doedd ei gôd ddim yn dderbyniol i ysgolheigion Ashkenazi oedd yn hawlio ei fod yn anwybyddu traddodiadau Ffrengig ac Almaenaidd pwysig. Llwyddodd Moses Isserles (c.1525-1572) i ddatrys y broblem drwy sgrifennu atodiad, y Mappah ('lliain bwrdd' yn llythrennol) oedd yn cynnwys arferion Ashkenazi. Y ddwy gyfrol yma gyda'i gilydd yw cod cyfreithiol awdurdodol yr Iddewon.

Mae'r testun yma eto yn syml ac yn glir, yn pwysleisio fod y gyfraith yn mynd yr holl ffordd yn ôl at 'Moses, ein hathro' ac at 'yr awdurdodau':
'Gwaherddir mynd ger bron barnwr neu lys barn an-Iddewig am achos llys, hyd yn oed pe bai'r achos yn mynd i gael ei farnu yn unol â chyfraith Iddewig. Mae'n waharddedig hyd yn oed os cytuna'r ddwy ochr i gael eu barnu ger eu bron. Mae unrhyw un sy'n sefyll prawf mewn llys an-Iddewig yn ddyn drwg. Mae fel pe bai wedi dirmygu, cablu a gwrthod Cyfraith Moses ein hathro.'
Esboniodd Moses Isserles hyn ymhellach: 'Os bydd dyn yn mynd ger bron llys an-Iddewig ac yn cael ei gollfarnu o dan eu deddfau, ond yna'n troi a mynnu fod ei wrthwynebydd yn ymddangos gydag ef ger bron llys Iddewig, yna byddai rhai awdurdodau'n dadlau na ddylai gael gwrandawiad. Byddai eraill yn dadlau y dylai gael gwrandawiad onid yw wedi achosi colled i'w gyd-ymgyfreithwyr yn y llysoedd an-Iddewig. Credaf ei bod yn hanfodol dilyn y dyfarniad blaenorol.'

Roedd Caro, ei hun yn ymwybodol iawn o'i berthynas â'r traddodiad. Mewn llyfr arall, mae'n disgrifio sut y cafodd weledigaeth, wrth fynd drwy'r Mishnah. Addawodd cynghorydd nefolaidd iddo y byddai'n cael ei 'ddyrchafu, ei godi i fyny a'i osod yn uchel ger bron holl aelodau'r academi nefolaidd ...' oherwydd ei 'fod yn brysur drwy'r amser â'r Talmud a'r codau ac wedi cyfuno'r ddau ...'.

Y Responsa

Ateb awdurdodol i gwestiwn cyfreithiol neilltuol ydy responsum (dyfarniad). Byddai'r academïau yn danfon llythyron yn cynnwys responsa (lluosog responsum) at ei gilydd hyd yn oed tra'r oedd y Talmud yn cael ei lunio. Yn ddiweddarach, dyma'r brif ffordd o barhau i ledaenu'r gyfraith lafar. Erbyn y ddegfed ganrif roedd cymunedau o Iddewon yn byw yn holl wledydd Môr y Canoldir ac ym mhob rhan o'r Ymerodraeth Fwslimaidd. Er mwyn i'r gwahanol gymunedau ddal i rannu'r dreftadaeth Iddewig roedd rhaid cadw mewn cysylltiad cyson. Byddai llythyron yn cael eu danfon at yr academïau lleol bychain (yeshivot oedd yr enw diweddarach, yn nwyrain Ewrop) a byddai'r atebion yn cael eu harwyddo gan holl uwch rabbiniaid y sefydliad. Yn ddiweddarach, yn enwedig ar ôl dyfeisio'r wasg argraffu, byddai'r responsa yma'n cael eu casglu a'u cylchredeg.

Gallai cwestiynau fod ar faterion defod ac arfer yn ogystal â'r gyfraith a byddai'r awdurdodau'n seilio eu hatebion ar ystyr manwl ac oblygiadau syniadau a sefyllfaoedd tebyg yn y Talmud. Felly, er enghraifft, pan ddyfeisiwyd argraffu, cododd y cwestiwn a oedd hawl i argraffu dogfennau ffurfiol, fel tystysgrifau priodas neu fesurau ysgaru a oedd, yn draddodiadol, wedi cael eu sgrifennu â llaw. Wrth ddod i gasgliad, byddai'r awdurdodau'n archwilio sut roedd y termau 'sgrifennu' ac 'ysgrifenedig' yn cael eu defnyddio yn y ffynonellau. Dim ond drwy adolygu'r holl enghreifftiau blaenorol yn drylwyr y gallen nhw benderfynu beth oedd yn iawn.

Tasg

Trafodaeth ddosbarth	Dychmygwch eich bod, fel dosbarth, yn gymuned Iddewig fechan, ynysig yn Ewrop ganoloesol, Gristnogol, yn ceisio arfer eich crefydd, tra bod gan bawb o'ch cwmpas wahanol ddefodau ac arferion. Meddyliwch am bob her fyddai'n eich wynebu, a dychmygwch effaith derbyn responsum gan un o Academïau Mawr Babilon.

Responsa ar gyfer heddiw

Hyd yn oed heddiw, bydd rabbiniaid o fri yn cyhoeddi responsa i gwestiynau neilltuol. Yn y blynyddoedd diwethaf, gyda dyfodiad technoleg newydd, mae'r cwestiynau hyn wedi tueddu i fod ynglŷn â phroblemau cwbl newydd. Er enghraifft, mae gan y rhan fwyaf o rewgelloedd modern olau sy'n cynnau'n otomatig wrth i chi agor y drws. Yn ôl y ddysgeidiaeth draddodiadol, chewch chi ddim cynnau golau ar y Saboth, oherwydd fod hynny'n cyfrif fel cynnau tân, un o'r mathau o waith sydd wedi ei wahardd yn bendant gan y Tannaim yn y Mishnah (gweler pennod 3 a phennod 5). Mae'r cwestiwn yn codi wedyn a oes gennych hawl i agor rhewgell ar y Saboth, am fod hynny'n golygu eich bod yn cynnau golau.

Mae achosion diddorol eraill yn codi gyda thrawsblannu meddygol. Y cwestiwn ydy: a oes gennych hawl, o dan gyfraith Iddewig, i drawsblannu cornea o lygad person marw i lygaid person dall? Mae cyfraith Iddewig draddodiadol yn ei gwneud yn glir, rnewn achosion o berygl mawr (a byddai dallineb yn cael ei ystyried felly), fod pobl yn cael cymryd unrhyw gamau bron i helpu person sâl. Ac eto, mae'r gyfraith hefyd yn dweud fod cyrff marw yn aflan a bod rhaid claddu pob cnawd marw. Mae rhai (ond nid pob un) o'r awdurdodau yn dadlau y gellir caniatáu eithriad os ydy'r deunydd marw yn llai na maint ffrwyth olewydden. Yn anffodus, y ffordd arferol o ddiogelu'r cornea ydy ei gadw ym mhelen y llygad ac er bod y cornea ei hun yn llai na'r ffrwyth, mae pelen llygad yn bendant yn fwy. Mae'r gyfraith hefyd yn dweud fod rhaid i bob aelod o'r corff sydd wedi cael ei dorri ymaith gael ei gladdu, yn bendant. Ydy pelen llygad yn cyfrif fel aelod o'r corff?

Pwnc seminar

Allwch chi feddwl am unrhyw faterion eraill yn y byd modern mae angen responsa newydd ar eu cyfer?

Wedi i academïau Babilon golli eu dylanwad yn y ddegfed a'r unfed ganrif ar ddeg, gallai unrhyw Iddew gyhoeddi ei fod yn awdurdod ar y gyfraith. Ond i'w ddilynwyr dderbyn ei ddoethineb, roedd barn hwnnw cystal â barn neb arall. Mae hyn yn golygu nad ydy'r responsa bob amser yn cytuno â'i gilydd. Ymgais i'w cysoni oedd y codau ond, fel y gellid disgwyl, mae'r rhain wedi achosi mwy o anghytuno a responsa sy'n croesddweud ei gilydd.

Addysg mewn yeshiva

Mae'r Iddewon wedi gwneud defnydd da o'r gwrthdaro yma. Hyd yn oed heddiw, mae'n arferol i ddynion ifainc Uniongred gwblhau eu haddysg mewn yeshiva (academi). Mae holl weithgaredd yeshiva yn digwydd mewn un neuadd. Mae'r myfyrwyr yn astudio mewn parau, ac mae bwrlwm cyson wrth iddyn nhw ddadlau am ystyr testun neilltuol. Os na allan nhw gytuno, fe fyddan nhw'n darllen drwy'r holl esboniadau sydd ar gael. Yna, efallai y byddan nhw'n gofyn i'r athro, ond hyd yn oed wedyn, gall barn hwnnw achosi dadlau pellach. Drwy'r broses yma, gobeithio, bydd dynion ifanc yn datblygu'r arfer o astudio'n annibynnol a dadlau'n rhesymegol a fydd yn para am weddill eu hoes.

Pwnc seminar

Ym mha fath o sefyllfa ac am ba resymau y gallai fod yn beth iach i gwestiynu barn athrawon?

Yeshiva fodern.

Pam, o safbwynt hanesyddol, mae dysg wedi bod mor bwysig mewn Iddewiaeth?

Rhaid pwysleisio mai Iddewon Uniongred yn unig sy'n dal i feddwl fod y broses yma o barhau i lunio'r gyfraith lafar yn bwysig (gweler pennod 1). Gan fod yr an-Uniongred wedi rhoi'r gorau i gredu mai rhodd Duw ydy'r Torah, dydyn nhw ddim yn credu fod rhaid ufuddhau'n fanwl i bob cyfraith. O ganlyniad, does gan y rhan fwyaf o Iddewon heddiw ddim diddordeb yn y trafod cyfreithiol yma. Ond i Iddewon Uniongred caeth, mae'r traddodiad cyfreithiol yn dal i fod o bwys hanfodol, ac mae llawer o deuluoedd yn aberthu llawer i sicrhau fod eu meibion yn cael addysg mewn yeshivah.

Geirfa

Amoraim	Dehonglwyr y Mishnah oedd yn byw ym Mhalesteina a Babilon yn y 3edd-6ed ganrif. Cofnod o'u trafodaethau nhw ydy'r Talmudau.
codau	Roedd y ffaith fod y Talmudau mor anferth ac mor gymhleth yn golygu na allai pobl gyffredin eu defnyddio. Aeth gwahanol ysgolheigion ati i'w 'codeiddio' (rhoi trefn arnyn nhw a'u crynhoi); yr enwocaf oedd Maimonides yn ei Mishneh Torah.
Geonim	Teitl anrhydeddus Pennaeth Academi (unigol Gaon).
Iddewiaeth Ashkenazi	Traddodiad mewn Iddewiaeth sy'n tarddu o'r Almaen a Dwyrain Ewrop, sydd bellach wedi lledaenu dros y byd i gyd.
Iddewiaeth Seffardi	Traddodiad mewn Iddewiaeth â'i wreiddiau yn Sbaen cyn i'r Iddewon gael eu taflu allan ym 1492. Mae bellach wedi lledaenu dros y byd i gyd.
responsa	Ymatebion y rabbiniaid yn Academïau Palesteina a Babilon i gwestiynau am y gyfraith Iddewig a oedd yn cael eu danfon at gymunedau Iddewig ym mhob man.

Bywyd Iddewig o Flwyddyn i Flwyddyn

Adran 2

Nod yr Adran

Mae'r adran hon yn gofyn i chi ystyried gwyliau wythnosol a blynyddol Iddewiaeth, a'r rhan maen nhw'n ei chwarae o ran cryfhau hunaniaeth Iddewig mewn byd sy'n newid o hyd.

Bydd rhaid i chi ystyried:

1   Pwysigrwydd canolog Shabbat fel arwydd o'r Cyfamod, a nodweddion cadw Shabbat.

2   Cadw Gwyliau'r Pererinion, Dyddiau Llawenydd, Rosh Hashanah a Yom Kippur, a'r ffordd maen nhw'n ategu hanes a gwerthoedd y genedl Iddewig.

Bywyd Iddewig o Flwyddyn i Flwyddyn

Y Rhyngrwyd

Mae'r Rhyngrwyd yn ffordd dda iawn o ddarganfod mwy am y gwyliau a'r arferion sy'n cael eu trafod yn Adrannau 2 a 3.
Edrychwch ar **http://www.jewishfamily.com** a **http://www.zipple.com**

Un o'r gwefannau Iddewig gorau yw **http://www.virtualjerusalem.com** ac os hoffech chi weld gwe-gamera 24 awr y dydd, yn gwylio'r Wal Orllewinol yn Jerwsalem, fe gewch chi un ar y wefan ddiddorol **http://aish.com**
Sylwch fel mae'n mynd yn llawer mwy prysur wrth y wal yn ystod Shabbat ac ar ddyddiau gŵyl.

Mae gwefan gan Synagog Newydd Caerdydd (Synagog Ddiwygiedig) hefyd sy'n dangos golygfeydd o'r tu fewn i'r adeilad a phethau sydd ar werth yn siop y synagog **http://www.cardiffnewsyn.org/**

Mae'r pedair pennod nesaf yn disgrifio Shabbat (y Sabboth) a gwyliau Iddewig. Yn draddodiadol, mae bywyd Iddewig yn cael ei reoli gan rhythm rheolaidd y Saboth wythnosol a'r gwyliau a'r ymprydiau blynyddol. Mae gan bob digwyddiad ei arwyddocâd crefyddol arbennig ei hun, yn tarddu o orchmynion Duw yn yr Ysgrythurau Hebraeg.

Manylion am y Gwyliau		2003	2004	2005	2006
Y Pasg Iddewig *Pesach*	Dydd 1af	Iau 17 Ebr	Maw 6 Ebr	Sul 24 Ebr	Iau 13 Ebr
	2il Ddydd	Gwen 18 Ebr	Merch 7 Ebr	Llun 25 Ebr	Gwen 14 Ebr
	3ydd Dydd	Merch 23 Ebr	Llun 12 Ebr	Sad 30 Ebr	Merch 19 Ebr
	4ydd Dydd	Iau 24 Ebr	Maw 13 Ebr	Sul 1 Mai	Iau 20 Ebr
Pentecost *Shavu'ot*	Dydd 1af	Gwen 6 Meh	Merch 26 Mai	Llun 13 Meh	Gwen 2 Meh
	2il Ddydd	Sad 7 Meh	Iau 27 Mai	Maw 14 Meh	Sad 3 Meh
Y Flwyddyn Newydd *Rosh Hashanah*	Dydd 1af	Sad 27 Medi	Iau 16 Medi	Maw 4 Hyd	Sad 23 Medi
	2il Ddydd	Sul 28 Medi	Gwen 17 Medi	Merch 5 Hyd	Sul 24 Medi
Dydd y Cymod *Yom Kippur*		Llun 6 Hyd	Sad 25 Medi	Iau 13 Hyd	Llun 2 Hyd
Tabernaclau *Sukkot*	Dydd 1af	Sad 11 Hyd	Iau 30 Medi	Maw 18 Hyd	Sad 7 Hyd
	2il Ddydd	Sul 12 Hyd	Gwen 1 Hyd	Merch 19 Hyd	Sul 8 Hyd
Shemini Atzeret *Simchat Torah*	8fed Dydd	Sad 18 Hyd	Iau 7 Hyd	Maw 25 Hyd	Sad 14 Hyd
	9fed Dydd	Sul 19 Hyd	Gwen 8 Hyd	Merch 26 Hyd	Sul 15 Hyd

Y calendr Iddewig

Mae'r calendr Iddewig wedi ei seilio ar y lleuad, ond mae'r flwyddyn seciwlar yn dilyn yr haul. Mae hyn yn golygu nad ydy'r gwyliau'n digwydd ar yr un dyddiad bob blwyddyn. Dim ond 354 diwrnod sydd yn y deuddeg mis Iddewig, felly rhaid gwneud yn iawn am hynny drwy gynnwys trydydd mis ar ddeg bob ychydig flynyddoedd. Felly mae'r gwyliau'n digwydd tua, er nad yn union, yr un adeg bob blwyddyn.

'Os ydym am wneud trefniadau i fynd allan, rhaid bwrw golwg ar y dyddiad ar y calendr Iddewig i wneud yn siŵr nad oes gŵyl Iddewig ar y diwrnod hwnnw. Mae hynny oherwydd ein bod yn dathlu'r Gwyliau yn y synagog ac yn ein cartrefi gyda'r teulu a ffrindiau.

Mae'r gwyliau Iddewig yn symud bob blwyddyn pan edrychwch ar galendr ym Mhrydain. Calendr y lleuad ydy'r calendr Iddewig (mae'n dilyn cylch y lleuad) felly dydy'r dyddiadau ddim yn cyfateb i'r dyddiadau ar galendr cyffredin. Felly, er bod Dydd Calan bob amser ar Ionawr 1af yng Nghymru, rhaid i ni edrych beth fydd dyddiadau ein gwyliau bob blwyddyn am eu bod yn wahanol o un flwyddyn i'r nesaf.'

Joyce, Abertawe

Pwnc seminar

Pam mae'r ffaith fod dyddiau'r gwyliau'n amrywio ychydig yn achosi problemau i Iddewon ym Mhrydain fodern?

Ar hyd yr oesoedd mae Iddewon wedi mynegi eu teimladau dyfnaf drwy weddïo ac addoli. Cyn iddi gael ei dinistrio gan y Rhufeiniad yn 70OG, y Deml yn Jerwsalem oedd canolbwynt bywyd Iddewig. Roedd yr offeiriaid yn aberthu dair gwaith y dydd ac roedd Iddewon duwiol yn teithio i Jerwsalem dair gwaith y flwyddyn ar wyliau'r pererinion, sef y Pasg Iddewig (Pesach), Wythnosau (Shavu'ot) a Tabernaclau (Sukkot) (gweler pennod 6).

Dydd y Cymod (Yom Kippur) oedd dydd mwyaf cysegredig y flwyddyn a dyna'r unig bryd y byddai'r Archoffeiriad yn mynd i mewn i'r Cysegr Sancteiddiolaf, cysegr mewnol y Deml (gweler pennod 8). Yn ôl Llyfr Deuteronomium, dim ond yn Jerwsalem y gallai pobl aberthu, felly pan gafodd y Deml ei dinistrio, dyna ddiwedd y system aberthol. Yn lle hynny, byddai pobl yn gweddïo dair gwaith y dydd yn yr addoldy lleol, y synagog.

Tasgau

Tasgau sgrifennu	Eglurwch effaith dinistr y Deml yn 70OG ar Iddewiaeth.
	Aseswch y farn ei bod yn syndod fod Iddewiaeth wedi goroesi heb y Deml.

Cysur a pharhad

Erbyn heddiw, mae sawl cangen wahanol o Iddewiaeth, gyda gwahanol draddodiadau addoli. Mae Iddewon Uniongred yn dal i gynnal tri gwasanaeth y dydd yn eu synagogau nhw. Dim ond dynion sy'n mynd yno yn ystod yr wythnos a dim ond os oes deg dyn mewn oed yn bresennol y gall gwasanaeth llawn gael ei gynnal. Mae'r holl gymuned yn dod i'r synagog ar Shabbat a dyddiau gŵyl, ond mae dynion a menywod yn eistedd ar wahân ac mae'r gwasanaeth i gyd mewn Hebraeg. Enwau canghennau mwy rhyddfrydol Iddewiaeth ydy Ceidwadol a Diwygiedig yn yr Unol Daleithau, a Diwygiedig a Rhydfrydol ym Mhrydain. Yn synagogau'r canghennau yma, mae teuluoedd yn eistedd gyda'i gilydd ac mae llawer o'r gwasanaeth yn Saesneg er mwyn i bawb allu dilyn. Yr Ysgrythurau Hebraeg, yn enwedig y Salmau, ydy sail gwasanaethau'r synagog, ac mae ffurfiau traddodiadol y gwasanaeth yn dyddio'n ôl i'r 6ed ganrif OG, mae'n debyg.

Rhwng 132OG a 1948, doedd gan yr Iddewon ddim o'u gwlad eu hunain. Roedd hyn yn golygu eu bod nhw bob amser yn gymuned estron o fewn gwlad arall. Weithiau roedden nhw'n llwyddiannus, ond weithiau roedden nhw'n cael eu herlid yn greulon. Drwy'r holl gyfnod maith yma, roedd rhythm y bywyd Iddewig, gyda'i weddïau dyddiol, ei Saboth wythnosol a'i wyliau blynyddol yn cynnig cysur a pharhad.

> 'Yr allwedd i'r gwyliau ydy'r plant.
> Mae'r gwyliau Iddewig yn ffordd o drosglwyddo ein ffydd a'n hanes i'r genhedlaeth nesaf yn y ffurf fwyaf deniadol. A'r ffordd y gwnewch chi hynny ydy drwy straeon, goleuadau, a bwyd. Felly, hyd yn oed os nad ydy'r plant yn gwybod dim byd arall, mae'n nhw'n gwybod y byddan nhw'n cael latkes adeg Chanukah, matzo adeg y Pasg, cacen gaws adeg Shavu'ot. Y stumog, y galon a'r meddwl – mae'r tri yn cael eu hysgogi wrth gadw'r gwyliau.'
>
> Norma, Abertawe

Pwnc seminar

Eglurwch sut mae dathlu gwyliau a chadw Shabbat wedi dod â 'chysur a pharhad' i'r gymuned Iddewig.

Shabbat

Nod

Ar ôl astudio'r bennod yma, dylech fod yn gallu asesu pwysigrwydd cadw Shabbat mewn Iddewiaeth. Dylech ddangos eich bod yn gwybod ac yn deall ei darddiad beiblaidd a'r gwahanol waharddiadau ac arferion sy'n rhan o gadw Shabbat.

Mae'r syniad o wythnos saith-diwrnod sy'n cynnwys diwrnod neu ddau o orffwys yn ddwfn yn yr ymwybod modern. Ond mewn gwirionedd, dydy hyn ddim yn drefniant naturiol. Yn yr hen fyd, roedd llawer o ddyddiau gŵyl, ond doedden nhw ddim yn digwydd yn gyson. Efallai y byddai pobl yn gweithio am ddeg diwrnod heb saib. Yna, byddai diwrnod o wyliau, yna dau diwrnod arall o waith ac yna dau ddiwrnod arall o wyliau. Yr Iddewon wnaeth roi i'r byd y syniad o ddiwrnod rheolaidd o orffwys bob wythnos. Ystyr y gair Shabbat ydy 'gorffwys' yn yr Hebraeg ac mae'r Iddewon yn ei ddathlu ar seithfed dydd yr wythnos, sef dydd Sadwrn.

Gwreiddiau Shabbat yn y Beibl

Y Saboth wythnosol yw gŵyl fwyaf a phwysicaf yr Iddewon. Dim ond person sy'n cadw Shabbat yn ufudd sy'n cael ei dderbyn fel Iddew gan yr Uniongred. Mae'r bwysig bod yn shomer shabbos ('Un sy'n cadw'r Saboth'). Un rheswm maen nhw mor feirniadol o aelodau mudiadau an-Uniongred ydy am nad ydyn nhw'n cadw cyfreithiau'r Saboth yn y ffordd draddodiadol. Mae Llyfr Exodus yn dweud fod Shabbat yn arwydd o'r cyfamod rhwng Duw a'i bobl etholedig: Dywedodd yr Arglwydd wrth Moses, "Dywed wrth bobl Israel, 'Cadwch fy Sabothau, oherwydd bydd hyn yn arwydd rhyngof a chwi dros y cenedlaethau, er mwyn i chwi wybod mai myfi, yr Arglwydd, sydd yn eich cysegru'" (Exodus 31:12).

Yn ôl y Beibl, mae dau reswm pam ddylai pobl gadw Shabbat. Mae Llyfr Genesis yn disgrifio sut y creodd Duw'r byd mewn chwe diwrnod. 'Felly gorffennwyd y nefoedd a'r ddaear . . . ac erbyn y seithfed dydd yr oedd Duw wedi gorffen y gwaith a wnaeth, a gorffwysodd ar y seithfed dydd . . . Am hynny, bendithiodd Duw y seithfed dydd a'i sancteiddio . . .' (Genesis 2: 1-3). Yna, yn Llyfr Deuteronomium: 'Cofia i ti fod yn was yng ngwlad yr Aifft, ac i'r Arglwydd dy Dduw dy arwain allan oddi yno â llaw gadarn a braich estynedig; am hyn y gorchmynnodd yr Arglwydd dy Dduw iti gadw'r dydd Saboth' (Deuteronomium 5: 15). Felly, rhaid i'r Iddewon gadw Shabbat yn ddydd sanctaidd yn gyntaf am fod y Creawdwr ei hun wedi peidio â gweithio ar y seithfed dydd. Yn ail, rhaid i'r Iddewon gofio eu bod wedi bod yn gaethweision yn yr Aifft, ac i gefnogi gweithwyr yn gyffredinol, rhaid iddyn nhw orffwys am ddiwrnod.

Mae un o'r Deg Gorchymyn yn cyfeirio at y Saboth: 'Cofia'r dydd Saboth, i'w gadw'n gysegredig. Chwe diwrnod yr wyt i weithio a gwneud dy holl waith, ond y mae'r seithfed dydd yn Saboth yr Arglwydd dy Dduw; na wna ddim gwaith y dydd hwnnw, ti na'th fab, na'th ferch, na'th was, na'th forwyn, na'th anifail, na'r estron sydd o fewn dy byrth' (Exodus 20: 8-10). Mae'r gorchymyn i gael diwrnod o orffwys yn cynnwys pawb, nid dim ond y penteulu a'i deulu. Mae'n cynnwys y gweision a'r morynion a'r anifeiliaid hefyd.

Rheolau Shabbat

Roedd y rabbiniaid bob amser yn pwysleisio fod y Shabbat yn fwy na dim ond adeg pan oedd gwaith wedi ei wahardd. Roedd i fod yn ddydd o oleuni, heddwch a llawenydd, adeg i astudio'r Torah, addoli Duw, mwynhau cwmni ffrindiau a theulu, ac ymlacio. Mae'n rinwedd positif i ŵr garu gyda'i wraig ar y Saboth, a dylid bwyta prydau bwyd mwy blasus nag arfer. Er mwyn i bobl beidio â thorri'r gyfraith drwy weithio heb sylweddoli hynny, aeth y doethion ati i ddiffinio tri-deg-naw o weithgareddau y dylai pobl eu hosgoi. Mae'r rhain yn cynnwys sgrifennu, pobi, cynnau golau, gwnïo, morthwylio, adeiladu, plannu neu fedi. Yn y byd modern, mae hyn yn golygu nad ydy pobl yn gallu gwneud pethau o gwmpas y cartref, na garddio, na dal i fyny ar waith swyddfa. Rhaid i wraig y tŷ baratoi'r holl brydau bwyd cyn i'r Saboth ddechrau, oherwydd mae paratoi bwyd wedi ei wahardd hefyd. Dylai gael gorffwys go iawn o'i gwaith bob dydd fel siopa, coginio, trwsio a glanhau.

Mae Exodus 16: 29 yn dweud wrth Iddewon, ar Shabbat: 'Arhoswch gartref, bawb ohonoch, a pheidied neb â symud oddi yno ar y seithfed dydd'. Mae'r gorchymyn yma'n cael ei ddehongli mewn dwy ffordd bwysig. Yn gyntaf, ddylai neb adael cyffiniau eu cartref ac yn ail, ddylai neb gario dim byd o gwmpas y tu allan i'r cartref. Er mwyn gallu gwneud pethau fel mynd i'r synagog, a chario allweddi a llyfrau gweddi, bydd cymunedau Iddewig Uniongred yn creu eruv (ardal arbennig, er enghraifft, y dre neu'r pentre, neu ardal neilltuol o ddinas) lle mae hawl gan bobl symud o gwmpas a chario beth sydd ei angen er mwyn cadw Shabbat. Mae ffens symbolaidd o gwmpas eruv, a gall honno fod wedi eu gwneud o byst a weiren go iawn. Rhaid i bawb sy'n byw o fewn yr eruv, mewn geiriau eraill, pawb yn y gymuned y gallwch symud y tu fewn iddi ar Shabbat, rannu pryd cymunedol o fwyd hefyd. Mae'n amlwg fod ufuddhau i'r rheolau ynglŷn â'r eruv yn gallu bod yn anodd iawn yn y byd modern. Mae rabbiniaid lleol yn cyhoeddi rheolau arbennig ynglŷn â pharchu'r eruv yn eu hardal nhw.

Mae Llyfr Genesis yn disgrifio sut aeth Duw ati i greu'r bydysawd. Fe gymerodd chwe diwrnod iddo ac ar derfyn gwaith pob dydd, mae'r awdur yn dweud. 'A gwelodd Duw fod hyn yn dda. A bu hwyr a bu bore, y [pa bynnag] ddydd.' Oherwydd hynny, mae Iddewon yn credu fod dydd newydd yn dechrau nid gyda'r wawr, ond wrth i'r haul fachlud. Mae Shabbat yn dechrau pan fydd yr haul wedi machlud ar nos Wener. Dyna pryd mae'r teulu'n dod ynghyd i ddechrau addoliad y Saboth, a rhannu llawenydd y Saboth.

Amserau cynnau'r canhwyllau Saboth, o'r Jewish Chronicle.

'Progress on eruv'

BARNET
RUTH ROTHENBERG

THE BARNET eruv may finally come into existence next year, when Transport for London grants a licence for placing poles and wire along the trunk roads involved, the A1, A41 and A406.

Earlier this month TfL, which is responsible for major roads, produced a draft licence which it is now negotiating with the United Synagogue eruv committee. In August, the London Borough of Barnet granted a licence for the minor roads involved.

"All my timetable predictions have so far proved over-optimistic," said eruv committee spokesman Edward Black. "But when the TfL licence is finally granted, we will be very close to the finishing line.

"I sincerely hope that within the first half of 2002, this facility will be complete," Mr Black declared.

Ystyriwch y problemau mae Iddewon Uniongred yn eu hwynebu wrth geisio ufuddhau i holl reolau cadw Shabbat mewn ardaloedd an-Iddewig.

Pwnc seminar

Ystyriwch a ydy diwrnod o orffwys yn syniad da ac yn bosibl yn y byd modern.

Cadw Shabbat: nos Wener

Mae Shabbat yn dechrau gyda mam y teulu yn cynnau canhwyllau Saboth. Mae cynnau golau yn un o'r pethau sydd wedi ei wahardd ar y Saboth felly rhaid gwneud hyn cyn machlud haul. Wrth i'r fflam gynnau, mae'n dweud y fendith, 'Bendigaid wyt, O Arglwydd ein Duw, Brenin y Bydysawd, sydd wedi ein sancteiddio drwy Ei orchmynion ac sydd wedi gorchymyn i ni gynnau goleuadau'r Saboth.'

Cynnau canhwyllau'r Saboth.

A fyddai cymdeithas fodern ar ei hennill pe bai ganddi ddefodau sy'n 'neilltuo' adegau arbennig o'r wythnos ar gyfer gorffwys neu weithgareddau crefyddol?

Yn y cyfamser, mewn cartref Uniongred, bydd dynion y teulu wedi cerdded i'r synagog lle bydd y Saboth yn cael ei groesawu. Un elfen o'r gwasanaeth ydy'r emyn canoloesol enwog, 'Tyrd fy ffrind i gwrdd â'r briodferch. Gadewch i ni groesawu presenoldeb y Saboth'.

Ar y Saboth, mae'r dynion yn cerdded yn hytrach na gyrru'r car. Mae gyrru wedi ei wahardd, oherwydd bod rhaid tanio'r injan. Oherwydd hynny, rhaid i deuluoedd Uniongred fyw o fewn cyrraedd synagog ar droed. Mae Iddewon yn tueddu i ymgartrefu mewn grwpiau mewn ardal neilltuol, ac mewn dinasoedd lle mae nifer fawr o Iddewon yn byw, mae rhai ardaloedd yn y ddinas yn mynd yn 'ardaloedd Iddewig'.

Dysgu ynglŷn â chynnau canhwyllau'r Saboth ac ymarfer y fendith.

Enghreifftiau o hyn yw Golders Green yn Llundain a Chyncoed yng Nghaerdydd. Dydy Iddewon an-Uniongred, ar y llaw arall, dim yn gweld rheswm dros beidio â gyrru ar y Saboth. Maen nhw'n dadlau nad ydy troi allwedd i danio injan car yn unrhyw fath o waith. Felly mae gan synagogau Diwygiedig feysydd parcio mawr gan fod pawb yn gyrru yno, a llawer o'r aelodau yn byw ymhell o'r synagog.

Wedi mynd adref, bydd y dyn Uniongred yn bendithio'i wraig a'i blant. Mae'n dyfynnu o lyfr y Diarhebion, gan awgrymu bod ei wraig 'yn fwy gwerthfawr na gemau' (31: 10-12) ac mae'n gweddïo y bydd ei blant fel Iddewon ffyddlon yr oesoedd gynt. Dylai'r bechgyn fod fel Effraim a Manasse (meibion y patriarch Joseph) a'r merched fel Sara, Rebeca, Lea a Rachel (matriarchiaid Llyfr Genesis).

Tasg

Tasg ymchwil	Ceisiwch ddarganfod, o'r Torah, beth oedd nodweddion da Effraim, Manasse, Sara, Rebeca, Lea a Rachel.

Y pryd teuluol

Mae'r llestri gorau a'r gwydrau gorau yn cael eu gosod ar fwrdd y Saboth. Mae'r tad yn dweud Kiddush (gweddi sy'n sancteiddio) dros wydraid o win ac mae pawb yn cymryd llymaid. Yna, mae'r tad yn golchi'i ddwylo'n ddefodol a dweud bendith dros fara'r Saboth. Fel arfer mae dwy dorth blethedig (sef challah), symbol o'r ddau ddarn o fanna roedd yr Israeliaid yn eu derbyn yn yr anialwch bob dydd Gwener (gweler Exodus 16: 22-26). Wedi'r fendith ('Bendigaid wyt ti, O Arglwydd ein Duw, Brenin y Bydysawd, sy'n dod â bara o'r ddaear') mae'r bara'n cael ei dorri a'i rannu.

Y pryd nos Wener ydy prif achlysur teuluol yr wythnos. Mae'r gymuned yn teimlo'n gryf iawn na ddylai neb fod heb le i fynd iddo ar Shabbat, felly mae gwesteion wrth y bwrdd yn aml. Mae'n gyfle i glywed newyddion diweddaraf y teulu, yn adeg canu caneuon traddodiadol y Saboth ac, mewn cartrefi Uniongred, mae'n arferol trafod rhai materion yn ymwneud â'r gyfraith ac arfer Iddewig. Mae pobl yn edmygu'r Iddewon am gryfder eu bywyd teuluol, ac mae swper nos Wener rheolaidd yn y cartref yn gymorth pwysig i gynnal hynny.

Pwnc seminar

Eglurwch pam mae pobl yn credu fod cadw Shabbat yn cyfrannu tuag at gryfder bywyd teuluol.

Dylai'r bwyd fod yn fwyd gorau'r wythnos. Dydy'r ffwrn ddim i fod i gael ei chynnau, ond gallwch ei chadw ynghynn ar wres isel drwy gydol y pedair awr ar hugain, felly mae bwyd sydd wedi cael ei baratoi o flaen llaw yn gallu cael ei fwyta'n boeth. Yn America a gwledydd Prydain, y pryd Saboth traddodiadol ydy cawl cyw iar gyda thwmplinau, cyw iar wedi ei rostio ac amrywiaeth o lysiau, gyda rhyw fath o bwdin ffrwythau i ddilyn. Dydy bwydydd cig a llaeth ddim yn cael eu cymysgu (gweler pennod 10) ond cyhyd â bod pobl yn ufuddhau i'r cyfreithiau bwyd, gall unrhyw fath o fwyd gael ei fwyta.

Ar ôl y pryd, mae gras hir a hyfryd yn cael ei ganu. Hen weddi, canrifoedd oed ydy hon. Mewn cartref Uniongred, bydd y canhwyllau Sabbath yn llosgi i lawr eu hunain, a bydd y goleuadau trydan ar switsys amser fel eu bod yn diffodd yn otomatig. Mae hyn yn golygu ufuddhau i'r gyfraith yn erbyn cynnau neu ddiffodd golau. Mae pawb yn gwybod pryd fydd hyn yn digwydd ac yn mynd i'r gwely mewn pryd.

Mynedfa'r synagog yng Ngyncoed, Caerdydd

Mae Iddewon an-Uniongred yn dilyn fersiwn llai caeth o'r uchod. Bydd unrhyw deulu Iddewig sydd ag unrhyw gred grefyddol yn cynnau canhwyllau, ond heb boeni gormod am wneud hynny cyn i'r haul fachlud. Efallai y bydd pryd bwyd arbennig y bydd disgwyl i'r teulu ddod iddo, a bydd y fendith yn cael ei dweud dros y gwin a'r bara, ac efallai fersiwn o'r weddi wedi'r pryd. Ond dim ond ymhlith Iddewon Uniongred caeth y cewch chi switsys amser ar gyfer y goleuadau, a chadw'r ffwrn i losgi'n isel drwy gydol Shabbat.

Cadw Shabbat: dydd Sadwrn

Mewn teulu Uniongred, bydd pawb yn credded i'r synagog ar gyfer y gwasanaeth bore Sadwrn. Am nad ydy Iddewon Uniongred caeth yn credu mewn atal cenhedlu artiffisial, mae'r teuluoedd yn tueddu i fod yn fawr. Mewn unrhyw 'ardal Iddewig', gallwch weld grwpiau teuluol yn cerdded gyda'i gilydd, tadau gyda grwpiau o fechgyn bach, mamau gyda'r merched, a phawb yn eu dillad Saboth gorau.

Yn y synagog Uniongred, mae'r dynion yn eistedd yn y blaen gyda'r menywod yn y cefn neu y tu ôl i sgrin. Y rheswm am hynny ydy fod y doethion yn dysgu y gallai menywod dynnu sylw dynion oddi wrth eu gweddïo.

Tasg

Trafodaeth ddosbarth	Ydy hi'n syniad da gwahanu menywod a dynion wrth addoli?

Yn y synagog, mae gwasanaeth bore'r Saboth yn canolbwyntio ar ddarlleniad o sgroliau'r Torah a darlleniad arall o lyfrau'r Proffwydi, Neviim. Mae'r Torah cyfan wedi ei rannu'n wahanol adrannau er mwyn i'r sgrôl gyfan gael ei darllen yn ystod y flwyddyn (gweler Gŵyl Sukkot). Mae pob darn wythnosol wedi ei rannu'n saith rhan, fel y gall saith person gwahanol yn y gynulleidfa gael yr alwad i'r llwyfan canolog i adrodd bendith cyn y darlleniad ac ar ei ôl. Mae hyn yn cael ei ystyried yn anrhydedd mawr o fewn y gymuned. Mae wythfed person yn cael ei alw i'r llwyfan ar gyfer yr Haftarah ('darlleniad proffwydol').

Mae gweddill y gwasanaeth yn eithaf tebyg i'r gwasanaeth boreol arferol er bod y gweddïau sy'n agor y gwasanaeth yn wahanol. Mae gweddi'r Shema'n cael ei hadrodd bob amser:

Y Shema (Deuteronomium 6: 4-9; 11: 13-21; Numeri 15: 37-41)

Gwrando, O Israel: Y mae'r Arglwydd ein Duw yn un Arglwydd. Câr di yr Arglwydd dy Dduw â'th holl galon ac â'th holl enaid ac â'th holl nerth. Y mae'r geiriau hyn yr wyf yn eu gorchymyn iti heddiw i fod yn dy galon. Yr wyt i'w hadrodd i'th blant, ac i sôn amdanynt pan fyddi'n eistedd yn dy dŷ ac yn cerdded ar y ffordd, a phan fyddi'n mynd i gysgu ac yn codi. Yr wyt i'w rhwymo yn arwydd ar dy law, a byddant yn rhactalau rhwng dy lygaid. Ysgrifenna hwy ar byst dy dŷ ac ar dy byrth.

Ac os byddwch yn gwrando o ddifrif ar fy ngorchmynion, yr wyf yn eu rhoi ichwi heddiw, i garu'r Arglwydd eich Duw a'i wasanaethu â'ch holl galon ac â'ch holl enaid, yna byddaf yn anfon glaw yn ei bryd ar gyfer eich tir yn yr hydref a'r gwanwyn, a byddwch yn medi eich ŷd, eich gwin newydd a'ch olew; rhof laswellt yn eich meysydd ar gyfer eich gwartheg, a chewch fwyta'ch gwala. Gwyliwch rhag ichwi gael eich arwain ar gyfeiliorn, a gwasanaethu duwiau estron a'u haddoli. Os felly, bydd dicter yr Arglwydd yn llosgi yn eich erbyn; bydd yn cau y nefoedd, fel na cheir glaw, ac ni fydd y tir yn rhoi ei gynnyrch, ac yn fuan byddwch chwithau'n darfod o'r wlad dda y mae'r Arglwydd ar fin ei rhoi ichwi.

Am hynny gosodwch y geiriau hyn yn eich calon ac yn eich enaid, a'u rhwymo'n arwydd ar eich llaw, ac yn rhactalau rhwng eich llygaid. Dysgwch hwy i'ch plant, a'u crybwyll wrth eistedd yn y tŷ ac wrth gerdded ar y ffordd, wrth fynd i orwedd ac wrth godi; ysgrifennwch hwy ar byst eich tai ac yn eich pyrth, er mwyn i'ch dyddiau chwi a'ch plant amlhau yn y tir y tyngodd yr Arglwydd i'ch tadau y byddai'n ei roi iddynt, tra bod nefoedd uwchlaw daear.

Dywedodd yr Arglwydd wrth Moses, 'Dywed wrth bobl Israel am iddynt, dros eu cenedlaethau, wneud taselau ar odre eu gwisg, a chlymu ruban glas ar y tasel ym mhob congl. Pan fyddwch yn edrych ar y tasel, fe gofiwch gadw holl orchmynion yr Arglwydd, ac ni fyddwch yn puteinio trwy fynd ar ôl y pethau y mae eich calonnau a'ch llygaid yn chwantu amdanynt. Felly fe gofiwch gadw fy holl orchmynion, a byddwch yn sanctaidd i'ch Duw. Myfi yw'r Arglwydd eich Duw, a ddaeth â chwi allan o wlad yr Aifft i fod yn Dduw i chwi; myfi yw'r Arglwydd eich Duw.'

Mae llawer o'r gweddïau eraill yn cyfeirio at fendithion arbennig Shabbat. Mae'r gwasanaeth yn dod i ben gyda gweddïau'r Kaddish a'r Alenu. Mae'r Kaddish yn mynegi dyhead am heddwch i'r bydysawd ac mae'r Alenu yn cyhoeddi Duw yn frenin yr holl fyd. Mae gwasanaeth prynhawn yn y synagog hefyd sy'n cynnwys darllen rhan gyntaf darn yr wythnos nesaf o'r Torah.

Yn y cartref, mae'n orfodol bwyta tri pryd o fwyd yn ystod Shabbat. Dydy hyn ddim yn swnio'n llawer iawn wrth safonau modern ond yn y gorffennol, mewn cymunedau tlawd, roedd yn newid braf o fwyd diflas a phrin arferol yr wythnos. Er mwyn gallu dathlu Shabbat yn iawn, byddai pobl yn cadw'r holl fwyd gorau tan ddiwedd yr wythnos. Drwy wisgo dillad arbennig, yn lle dillad gwaith, a bwyta bwyd gwell, roedd y gymuned yn gwneud Shabbat yn ddydd arbennig iawn.

Yr Havdalah

Wrth i'r haul fachlud ar nos Sadwrn, mae diwedd Shabbat yn cael ei nodi yn y seremoni Havdalah ('rhannu'), yn y cartref fel arfer. Mae'r seremoni'n cynnwys bendithio gwin, goleuadau a sbeisys. Mae'r fendith yn cael ei dweud gyntaf: 'Bendigaid wyt, o Arglwydd, sy'n gwahaniaethu rhwng pethau sanctaidd a phethau'r byd, rhwng goleuni a thywyllwch, rhwng Israel a'r Cenhedloedd, rhwng y seithfed dydd a'r chwe diwrnod gwaith. Bendigaid wyt, O Arglwydd, sy'n gwahaniaethu rhwng y cysegredig a phethau bob-dydd.'

Sawl cannwyll wen fain wedi eu plethu ynghyd ydy'r golau, yn cynrychioli pethau sanctaidd a phethau bydol yn cydblethu. Mae cynnau hon yn dangos fod y Saboth wedi dod i ben. Mae'n cael ei diffodd drwy ei throchi mewn cwpanaid o win ac mae'r blwch sbeis yn mynd o law i law er mwyn i bawb gael ei arogli. Does neb yn sicr beth sydd wrth wraidd yr arfer yma na beth ydy'i ystyr. Un eglurhad ydy fod yr Iddew duwiol yn cael enaid ychwanegol yn ystod y Saboth, ysbrydolrwydd arbennig y Saboth. Pan fydd yr enaid yn mynd oddi wrtho ar ddiwedd y dydd, mae arogli'r sbeisys yn gwneud iddo deimlo'n well cyn troi nôl at ddiflastod byd gwaith dyddiau'r wythnos.

Mae Iddewon an-Uniongred yn perfformio rhai o'r defodau yma. Efallai y byddan nhw'n mynd i'r synagog (mewn car) ar gyfer gwasanaeth y bore, yn enwedig os oes bachgen Bar Mitzvah neu ferch Bat Mitzvah yn mynd i fod yn darllen o sgrôl y Torah (gweler pennod 9). Efallai y byddan nhw'n ceisio treulio tipyn o amser gyda'r teulu, a hyd yn oed yn perfformio defod havdalah. Ond, ar y cyfan, dydyn nhw ddim yn ufuddhau'n gaeth i'r gyfraith draddodiadol.

Ymhlith Iddewon Uniongred caeth y mae'r hen ffyrdd yn parhau a gwir ysbryd y Saboth yn dal i fod. Maen nhw'n gwisgo'u dillad gorau; maen nhw'n rhannu'r tri pryd bwyd Sabothol; maen nhw'n cerdded i'r Synagog gyda'i gilydd ac yn cael hamdden i fwynhau cwmni ei gilydd. Yn eu plith, mae awyrgylch o heddwch anghyffredin, agosatrwydd fel teulu a llawenydd Sabothol gwirioneddol.

Nice spice

A NEW monthly series of havdalah services especially for children will be beginning this month at Northwood Synagogue, in Murray Road, Northwood, Middlesex.

The first service takes place during Chanucah, at 5.15pm on Saturday, December 15, and there will be latkes and doughnuts for all, plus a story from the synagogue's minister, Rabbi ░░░░░░░

The "Spice Girls and Boys" services will take place once a month throughout the winter, and all are welcome.

If you want to find out more information, you can contact the synagogue office on ░░░░░ ░░░░░.

Ystyriwch pa mor anodd ydy annog Iddewon ifanc i gadw arferion sy'n ganrifoedd o oed

Geirfa

Alenu	(Aleinu le shabbe'ah) 'Ein dyletswydd yw moli'. Y weddi sy'n cloi'r llyfr gweddi Iddewig a gwasanaethau.
eruv	'cymysgedd' (h.y. o'r cyhoeddus a'r preifat), ardal lle gallwch gludo eitemau heb fod yn gysylltiedig â gwaith ar Shabbat.
Havdalah	'rhannu', 'gwahanu', y seremoni ar ddiwedd Shabbat sy'n nodi diwedd yr amser sanctadd a dechrau'r wythnos waith gyffredin.
Kaddish	Emyn o fawl sy'n cael ei adrodd ar ddiwedd rhannau o'r litwrgi, sy'n cael ei ddefnyddio bob Saboth.
Kiddush	Bendith sy'n cael ei hadrodd dros y gwin ar Shabbat.
Shabbat	Y Saboth, o fachlud haul nos Wener tan fachlud haul nos Sadwrn. Seithfed diwrnod yr wythnos, diwrnod pan mae rhaid cadw nifer fawr o mitzvot a pheidio â gweithio.
Shema	Y weddi sy'n datgan fod Duw yn un, sy'n cael ei hadrodd yn ystod gwasanaethau, ac y bydd Iddewon yn draddodiadol yn ei hadrodd ddwywaith y dydd.

Gwyliau'r Pererinion

Nod

Ar ôl astudio'r bennod yma, dylech fod yn gallu asesu swyddogaeth a phwysigrwydd cadw Gwyliau'r Pererinion, sef y Pasg Iddewig, Shavu'ot a Sukkot mewn Iddewiaeth. Dylech fod yn gallu dangos yn glir eich bod yn gwybod ac yn deall yr arferion sy'n gysylltiedig â'r gwyliau hyn, eu themâu allweddol a symbolaeth gwahanol bethau a gweithgareddau. Dylech hefyd fod yn gallu dangos sut mae cadw'r gwyliau yn cyfrannu at hunaniaeth Iddewig.

Cafodd gwyliau'r pererinion eu henw am fod Llyfr Deuteronomium yn dweud y dylai'r Iddewon fynd ar bererindod dair gwaith y flwyddyn: 'Teirgwaith y flwyddyn y mae dy holl wrywod i ymddangos gerbron yr Arglwydd dy Dduw yn y man y bydd ef yn ei ddewis, sef ar ŵyl y Bara Croyw [Pesach], ar ŵyl yr Wythnosau [Shavu'ot] ac ar ŵyl y Pebyll [Sukkot]. Nid yw neb i ymddangos ger bron yr Arglwydd yn waglaw' (Deuteronomium 16: 16). Mae'r Testament Newydd yn dangos (er enghraifft, hanes dyfodiad yr Ysbryd Glân yn Actau'r Apostolion, pennod 2) fod niferoedd anferth o bobl, yn nyddiau'r Deml, yn mynd i Jerwsalem i offrymu aberthau.

Pesach

Mae holl wyliau'r pererinion yn gysylltiedig â'r flwyddyn amaethyddol yn ogystal â digwyddiadau pwysig yn hanes yr Iddewon. Mae Pesach yn dathlu dechrau'r cynhaeaf haidd yn y gwanwyn. Mae'n digwydd yn ystod mis Nisan ac yn para saith noson a saith diwrnod yng ngwlad Israel, ac wyth mewn mannau eraill.

Harry a Jack gyda'u tadcu yn Abertawe, yn adrodd y fendith ac yn torri'r Matzot (bara croyw sy'n cael ei fwyta yn ystod y Pasg Iddewig).

Mae Llyfr Exodus yn dysgu i ni fod Duw, pan oedd yr Iddewon yn gaethweision yn yr Aifft, wedi danfon deg pla i orfodi'r Brenin Pharo i'w gollwng yn rhydd. Mae'r stori gyfan yn llyfr Exodus (penodau 5-12). Y pla terfynol oedd lladd y cyntafanedig. Bu'r plentyn hynaf ym mhob teulu a phob anifail cyntafanedig farw'n sydyn. Dim ond plant yr

Iddewon gafodd eu hachub. Roedd yr Iddewon wedi cael gorchymyn i ladd oen a thaenu'r gwaed ar byst drysau eu tai. Pan welodd Angel Marwolaeth y gwaed, 'aeth heibio' i'r tŷ hwnnw. Cyn 70 OG, cyn i'r Deml gael ei dinistrio, roedd ŵyn yn cael eu haberthu ar ddiwrnod cyntaf yr ŵyl ac yn cael eu rhostio a'u bwyta gyda llysiau chwerw.

Gŵyl y Bara Croyw ydy'r enw arall ar Pesach. Ar ôl y degfed pla ofnadwy, rhoddodd Brenin yr Aifft ganiatâd i'r Iddewon i fynd. Roedden nhw ar gymaint o frys nes pobi eu bara heb roi amser iddo godi. I'r dydd heddiw, dydy Iddewon ddim yn bwyta bwydydd â lefain ynddyn nhw yn ystod Gŵyl y Bara Croyw ac yn lle bara, maen nhw'n bwyta math o fisgïen o'r enw matzot (am gyfreithiau bwyd Pesach, gweler pennod 10).

Hanes y Pasg Iddewig wedi ei beintio gan Arthur Szyk.

Seder y Pasg Iddewig

Canolbwynt yr ŵyl ydy pryd bwyd y Pasg Iddewig, sef y seder. Mae'r pryd yma'n digwydd ar y noson gyntaf ac (y tu allan i Israel) ar yr ail noson hefyd. Pwrpas y pryd ydy ufuddhau i'r gorchymyn yn Llyfr Exodus: 'Ar y dydd hwnnw, fe ddywedir wrth dy fab, "Gwneir hyn oherwydd y peth a wnaeth yr Arglwydd i mi pan ddeuthum allan o'r Aifft"' (Exodus 13: 8).

Mae'r bwrdd wedi ei osod â nifer o fwydydd symbolaidd yn y canol. Mae llysiau chwerw (rhuddugl poeth [*horseradish*], fel arfer) yn cynrychioli mor chwerw oedd bod yn gaethwas. Mae llysiau gwyrdd (persli, fel arfer) yn dangos mai gŵyl wanwyn ydy hon. Mae dŵr heli'n atgoffa'r rhai sy'n ciniawa o ddagrau'r Iddewon caeth. Mae tri darn o matzot yn ein hatgoffa o'r ddogn ddwbl o fanna ar Shabbat a gwyliau tra'r oedd yr Iddewon yn crwydro yn yr anialwch cyn cyrraedd Gwlad yr Addewid. Mae'r darn canol yn cael ei ddisgrifio fel 'bara'r gofid' yn ystod y gwasanaeth. Mae charoset hefyd (cymysgedd o afalau, cnau, sinamon a gwin) sy'n symboleiddio'r morter roedd rhaid i'r Iddewon ei gymysgu yn yr Aifft. Yn olaf, mae wy ac asgwrn oen yn coffáu aberthau tymhorol yn y Deml.

Yn ôl y traddodiad, byddai'r Meseia, yr un a gafodd ei ddewis yn Frenin gan Dduw, yn ymddangos yn ystod tymor Pesach, ac mae'r proffwyd Malachi yn proffwydo y bydd y proffwyd Elias yn dangos y ffordd i'r Meseia (Malachi 4: 5). Mae cwpan yn cael ei osod ar y bwrdd ar gyfer Elias ac yn ystod y gwasanaeth, mae drws y tŷ'n cael ei agor yn y gobaith mai hon ydy'r flwyddyn, ac y bydd Elias yn disgwyl y tu allan. Mae pawb sy'n bresennol yn yfed pedwar cwpanaid o win, i'w hatgoffa am y pedwar cyfeiriad at waredigaeth yn Llyfr Exodus: 'fe'ch rhyddhaf . . . a'ch gwaredu . . . a'ch achub . . . Fe'ch cymeraf yn bobl i mi' (Exodus 6: 6-7).

Mae'r bwyd symbolaidd yn cael ei fwyta yn ystod y pryd. Mae bendithion yn cael eu hadrodd, mae caneuon yn cael eu canu, ac mae hanes y Pasg Iddewig yn cael ei adrodd. Wedi'r pryd bwyd, mae'r gwasanaeth yn dod i ben â'r hen hen obaith, 'Flwyddyn nesaf yn Jerwsalem!' Am bron ddwy fil o flynyddoedd, rhwng 70 a 1948 OG, doedd hi ddim yn debyg iawn y byddai'r Iddewon byth yn dychwelyd i wlad Israel, ond cafodd y gobaith ei gadw'n fyw bob blwyddyn yn ystod dathliadau'r Pasg.

> 'Mae Iddewon bob amser yn teithio yn y gobaith o weld y Flwyddyn Nesaf yn Jerwsalem, a hyd yn oed os ydych chi yn Jerwsalem, rydych chi'n dal i ddweud hynny.'
>
> Norma, Abertawe

Mae hyd yn oed Iddewon anghrefyddol yn aml iawn yn mynychu seder y Pasg. Dyma'r un adeg mewn blwyddyn yn bydd yr holl deulu yn ceisio cwrdd, a bydd sawl cenhedlaeth o gylch y bwrdd - teidiau a neiniau, ewythrod a modrabedd, cefndryd, rhieni a phlant, yn ogystal â sawl ymwelydd. Mae gan y rhan fwyaf o Iddewon atgofion byw iawn am ddathliadau'r Pasg yn eu plentyndod. Ac yn ddi-os, dyma un o achlysuron mwyaf teimladwy'r flwyddyn Iddewig.

Pwnc seminar

Nodwch brif themâu ysbrydol dathlu Pesach, ac eglurwch sut maen nhw'n berthnasol i Iddewon heddiw.

Shavu'ot

Yn nyddiau'r Deml, roedd y cynhaeaf haidd yn cael ei gynnig ar ail ddiwrnod gŵyl Pesach. Omer oedd enw'r ysgub oedd yn cael ei chynnig, ac roedd y Gyfraith yn dweud y dylai'r Iddewon gyfrif saith wythnos (pedwar-deg-naw o ddyddiau) o Pesach tan Shavu'ot. Roedd pobl yn galw hynny yn 'cyfrif yr omer'. Mae'r cyfnod yma'n cael ei ystyried yn gyfnod o alaru, er nad oes neb yn gwybod pam, ond yn ôl y traddodiad, ddylai neb briodi yn y cyfnod yma na thorri eu gwallt. Mae'r rheolau yma'n cael eu rhoi o'r neilltu am un diwrnod yn unig (gweler Lag ba-Omer ym mhennod 7). Yn ôl Llyfr Lefiticus: 'O drannoeth y Saboth, sef y diwrnod y daethoch ag ysgub yr offrwm cyhwfan, cyfrifwch saith wythnos lawn . . . hyd drannoeth y seithfed Saboth . . . Ar y diwrnod hwnnw yr ydych i gyhoeddi cymanfa sanctaidd' (Lefiticus 23: 15, 21).

Enw'r 'gymanfa sanctaidd' yma ydy Shavu'ot, neu Pentecost, ar ôl y gair Groegaidd am bum deg. Yn Lefiticus mae Duw yn gorchymyn: 'Dewch â bwydoffrwm o rawn newydd i'r Arglwydd. O ble bynnag y byddwch yn byw, dewch â dwy dorth, wedi eu gwneud â phumed ran o effa o beilliaid a'u pobi â burum, yn offrwm cyhwfan o'r blaenffrwyth i'r Arglwydd (Lefiticus 23: 16-17).

Mae Shavu'ot, fel y gwyliau pererinion eraill, yn coffáu digwyddiad pwysig yn hanes yr Iddewon hefyd. Yn y Llyfr Gweddi, mae'r ŵyl yn cael ei disgrifio fel tymor 'rhoddi i ni ein Torah'. Mae'n debyg fod yr Iddewon oedd yn dianc o wlad yr Aifft wedi cyrraedd Mynydd Sinai yn y trydydd mis, mis dathlu Shavu'ot. O ganlyniad, aeth yr ŵyl yn achlysur coffáu rhoddi'r Gyfraith, y Torah, i Moses. Mae'r hanes llawn yn Llyfr Exodus, penodau 19 a 20.

Arferion Shavu'ot

Felly Shavu'ot ydy penllanw tymor y cynhaeaf a ddechreuodd gyda Pesach. Mae hefyd yn uchafbwynt stori Exodus, a ddechreuodd gyda lladd y cyntafanedig a Duw'n 'mynd heibio i' dai'r Iddewon. Mae gwahanol gymunedau yn dathlu mewn gwahanol ffyrdd. Mewn rhai mannau, mae'n arfer gan Iddewon Uniongred aros ar eu traed drwy'r nos yn ystod yr ŵyl tra bod gweddïau o'r Salmau a darnau o'r Talmud yn cael eu darllen yn y synagog. Yn ystod y gwasanaethau ffurfiol, mae'r darlleniadau'n cynnwys y Deg Gorchymyn (Exodus 20) a Llyfr Ruth, oherwydd fod Ruth (un o hen neiniau'r Brenin Dafydd) wedi cael troedigaeth i Iddewiaeth, ac felly wedi derbyn holl gyfreithiau'r Torah yn wirfoddol.

Mae'n arferol bwyta bwydydd llaeth yn ystod yr ŵyl yma. Does neb yn gwybod pam; efallai mai'r eglurhad gorau ydy fod y Gyfraith fel llaeth, yn bwydo a chynnal y gymuned Iddewig. Mae'r synagog yn cael ei haddurno â ffrwythau a blodau. Mae hyn yn ein hatgoffa am wreiddiau amaethyddol yr ŵyl ond mae hefyd yn symbol o harddwch a phersawr y Torah. Dim ond am ddiwrnod y bydd yr ŵyl yma'n para yn Israel (deuddydd mewn gwledydd eraill) ac mae bob amser yn achlysur hapusrwydd a llawenhau

Oherwydd mai rhoddi'r Torah sy'n cael ei ddathlu, mae'r ŵyl yma'n gysylltiedig ag addysg hefyd. Dyma'r adeg arferol o'r flwyddyn i blentyn gychwyn ar ei addysg grefyddol, ac mae melysion yn cael eu rhoi yn ystod y wers gyntaf - er mwyn i'r plentyn gysylltu astudio'r Torah â hapusrwydd melys. Dyma pryd y bydd pobl ifanc yn graddio o'u dosbarthiadau crefyddol hefyd. Mae'r mudiadau an-Uniongred wedi cychwyn gwasanaeth i dderbyn y rhain yn aelodau newydd. Seremoni ar gyfer rhai un-ar-bymtheg oed ydy hon, a'r bwriad o annog pobl ifanc i barhau â'u haddysg grefyddol ar ôl eu Bar neu Bat Mitzvah (gweler pennod 9). Ar ŵyl Shavu'ot mae'r dosbarth cyfan sy'n graddio yn arwain yr holl seremoni yn y synagog i ddangos eu haeddfedrwydd crefyddol newydd.

Tasgau

Tasgau sgrifennu	Eglurwch sut mae defodau Shavu'ot yn helpu Iddewon i ddathlu rhoddi'r Torah ar Fynydd Sinai.
	'Mae defodau ac arferion yn troi'n hawdd iawn yn ddim mwy nag arferion gwag ac yn fuan, maen nhw'n colli eu hystyr.' Aseswch y farn yma.

Sukkot

Fel Pesach a Shavu'ot, mae gwreiddiau Sukkot yn yr Ysgrythurau Hebraeg: 'Ar y pymthegfed dydd o'r seithfed mis cynhelir gŵyl y Pebyll i'r Arglwydd am saith diwrnod. Bydd y diwrnod cyntaf yn gymanfa sanctaidd; nid ydych i wneud unrhyw waith arferol. Am saith diwrnod yr ydych i gyflwyno aberthau trwy dân i'r Arglwydd, ac ar yr wythfed diwrnod bydd gennych gymanfa sanctaidd, pan fyddwch yn cyflwyno aberth trwy dân i'r Arglwydd; dyma'r gymanfa derfynol' (Lefiticus 23: 33-36). Yna, mae'r testun yn dweud: 'Ar y diwrnod cyntaf yr ydych i gymryd blaenffrwyth gorau'r coed, canghennau palmwydd, brigau deiliog a helyg yr afon, a llawenhau o flaen yr Arglwydd eich Duw am saith diwrnod ... Yr ydych i fyw mewn pebyll am saith diwrnod ... er mwyn i'ch disgynyddion wybod imi wneud i bobl Israel fyw mewn pebyll pan ddeuthum â hwy allan o wlad yr Aifft' (Lefiticus 23: 40, 42, 43).

Sukkah wedi ei adeiladu gan blant Ysgol Gynradd Caeo, Sir Gaerfyrddin.

Mae Sukkot, felly, yn atgoffa'r Iddewon am y cyfnod pan oedden nhw'n crwydro yn yr anialwch cyn cyrraedd Gwlad yr Addewid, sef Israel. Mae'r hanes yn Llyfr Exodus, penodau 16 ac 17. Er mwyn ufuddhau i'r gorchymyn, rhaid iddyn nhw adeiladu pabell neu dabernacl, a bwyta eu prif brydau bwyd ynddo yn ystod yr ŵyl. Mewn hinsawdd oer, fel sydd gennym yng Nghymru, does dim disgwyl i bobl gysgu ynddo nac aros ynddo os bydd hi'n bwrw.

Y sukkah a'r lulav

Mae doethion y Talmud yn egluro'n union sut ddylid adeiladu'r tabernacl. Rhaid iddo fod yn sgwâr o leiaf pedwar cufydd (rhyw ddwy fetr) o faint. Dylai fod ganddo dair wal o leiaf a dylai'r to fod wedi ei wneud o bethau oedd yn tyfu ar un adeg. Yn wir, ddylai'r to ddim bod yn rhy drwchus. Pan fydd yr Iddew duwiol yn sefyll yn ei dabernacl, dylai fod yn gallu gweld y sêr. Yn draddodiadol, mae'r babell yn cael ei haddurno â blodau a ffrwythau oherwydd mae Tabernaclau, sydd ym mis Medi, yn ŵyl gynhaeaf hefyd.

> 'Roedd Sukkot bob amser yn hwyl. Bydden nhw'n dod i'n nôl ni o'r cheder, ac fe fydden ni'n helpu i glymu'r ffrwythau mewn darnau o rwyd a'u crogi o'r to oedd yn agored fel y gallech weld yr awyr - a doedd dim rhaid i ni astudio yn y cheder y diwrnod hwnnw.'
>
> Lisa, Abertawe

Er mwyn ufuddhau i'r gorchymyn i gymryd 'blaenffrwyth . . . canghennau . . . brigau deiliog a helyg', mae pobl yn gwneud sypyn o'r enw lulav. Mae'r lulav wedi ei wneud o balmwydd, helyg a myrtwydd, ac mae ffrwyth citrws yn cael ei ddal yn y llaw arall. Yn ystod gwasanaethau'r ŵyl yn y synagog, mae'r lulav yn cael ei chwifio i'r gogledd, i'r de, i'w dwyrain a'r gorllewin, i fyny ac i lawr. Mae'n debyg fod hyn yn symbol o reolaeth Duw dros bob man. Yna, mae gorymdaith o gwmpas yr adeilad tra bod Salmau 113-118 yn cael eu hadrodd a gweddi'n cael ei dweud, yn gofyn am gynhaeaf da. Mae rhai awdurdodau'n dadlau fod cyfansoddiad y lulav yn symbol o'r bobl Iddewig. Mae llawer o wahanol fathau o bobl yn ffurfio'r gymuned grefyddol, ond rhaid iddyn nhw weithio gyda'i gilydd mewn cytgord.

Cwblhau'r cylch

Ar y seithfed dydd, bydd pawb yn cerdded saith gwaith o gwmpas y synagog, ac i lawer o bobl, dyma uchafbwynt yr holl dymor penydiol (y Flwyddyn Newydd, y Deg Diwrnod Penyd, a Dydd y Cymod - gweler pennod 8). Enw'r diwrnod nesaf, diwrnod y 'gymanfa sanctaidd' yn ôl Lefiticus, ydy Shemini Atzeret ('wythfed dydd y cynulliad') a Simchat Torah ('Llawenhau yn y Gyfraith'). Yng ngwlad Israel, mae'r ddwy ŵyl yn cael eu dathlu ar yr un dydd, ond y tu allan i Israel, mae'r holl ŵyl yn para diwrnod arall, ac mae gŵyl Simchat Torah yn cael ei chadw ar y nawfed dydd.

Fel ar y Saboth a diwrnod cynta'r ŵyl, does neb yn cael gweithio. Mae gwasanaeth Shemini Atzeret yn cynnwys gweddi am law yn ystod gwasanaeth y synagog. Mae Llawenhau yn y Gyfraith yn achlysur gorfoleddus. Dyma pryd mae darlleniadau'r Torah am y flwyddyn yn dod i ben ac mae'r cylch yn dechrau eto gyda'r darn cyntaf o Lyfr Genesis. Mae'n gryn anrhydedd cael eich galw ar gyfer y darlleniad olaf o Lyfr Deuteronomium, ac mae'r dyn a ddewisir yn cael ei alw'n 'Briodfab y Gyfraith'. Y dyn sy'n darllen o Lyfr Genesis ydy 'Priodfab Genesis'. Mae Sgroliau'r Gyfraith yn cael eu tynnu allan yn ystod y gwasanaeth ac maen nhw'n cael eu cario o gwmpas y synagog gyda llawer o lawenhau. Ymhlith Iddewon Uniongred caeth, mae hwn yn ddathliad aruthrol a weithiau bydd yr orymdaith yn llifo allan o adeilad y synagog i mewn i'r strydoedd cyfagos. Yn aml iawn, bydd y 'ddau briodfab' yn rhoi parti gwych. I Iddewon Uniongred, sy'n byw pob eiliad o'u bywydau yn ufuddhau i orchmynion y Gyfraith, all dim byd fod yn rhy dda i fynegi eu hapusrwydd a'u diolch i Dduw am ei rodd, y Torah.

Geirfa

cymanfa	Cynulliad - cyfarfod ynghyd.
gwyliau'r Pererinion	Yn nyddiau'r Deml, y gwyliau pan fyddai'r bobl yn mynd yno i aberthu. Tair gŵyl y Pererinion ydy Pesach, Shavu'ot a Sukkot.
Omer	Y Cyfnod rhwng Pesach a Shavu'ot.
Pesach	Y Pasg Iddewig, neu ŵyl y Bara Croyw sy'n coffáu rhyddhau'r Israeliaid o'r Aifft dan arweiniad Moses.
seder	'Trefn', trefn y gwasanaeth mewn defodau Iddewig. Mae Seder yn cyfeirio'n neilltuol at ddefod pryd bwyd y Pasg Iddewig.
Shavu'ot	Gŵyl yr Wythnosau, sy'n dathlu rhoddi'r Torah i Moses.
Simchat Torah	Dydd olaf gŵyl Sukkot, pan mae'r cylch darlleniadau o'r Torah yn dod i ben, ac yn cychwyn eto gyda phennod gyntaf Genesis.
Sukkot	Gŵyl y Tabernaclau, yn yr hydref, pan fydd pobl yn codi pabell (Sukkah) i gofio am y cyfnod pan fu'r Israeliaid yn crwydro yn yr anialwch.

Dyddiau Llawenydd

Nod

Ar ôl astudio'r bennod yma, dylech fod yn gallu asesu swyddogaeth a phwysigrwydd cadw Dyddiau Llawenydd mewn Iddewiaeth. Dylech fod yn gallu dangos yn glir eich bod yn gwybod ac yn deall yr arferion sy'n gysylltiedig â'r gwyliau hyn, eu themâu allweddol a symboliaeth gwahanol eitemau a gweithgareddau. Dylech hefyd fod yn gallu dangos sut mae cadw'r gwyliau yn cyfrannu at hunaniaeth Iddewig.

Shabbat ydy'r pwysicaf o'r holl wyliau Iddewig. Mae gwreiddiau tair gŵyl y pererinion (Pesach, Shavu'ot a Sukkot), fel Shabbat, yn y Torah ac maen nhw'n cael eu dathlu gan bob Iddew crefyddol. Mae'r Dyddiau Llawenydd yn llai pwysig. Dim ond Pwrim sy'n dod o'r Ysgrythurau Hebraeg. Mae'r stori sy'n cael ei choffáu yn Chanukah wedi ei seilio ar Lyfr y Macabeaid yn yr Apocryffa, ac mae Blwyddyn Newydd y Coed, Dydd Annibyniaeth Israel a Thrydydd Dydd ar Ddeg ar Hugain Omer yn dod o gyfnodau diweddarach yn hanes yr Iddewon.

Pwrim

Gŵyl Esther ydy Pwrim. Mae pwr (lluosog, pwrim) yn llythrennol yn golygu coelbren, am fod Haman wedi bwrw coelbren i benderfynu ar ba ddydd y dylid dinistrio'r Iddewon. Yn ôl yr hanes, roedd Haman, prif weinidog Ahasferus, Brenin Persia, yn benderfynol o ddinistrio'r holl Iddewon yn y deyrnas. Cafodd ei gynlluniau drwg eu hatal gan Mordecai, ewythr Esther, gwraig Ahasferus. Erfyniodd ar ei gŵr i achub ei phobl ac yn y pen draw, Haman gafodd ei grogi ar y crocbren roedd wedi ei baratoi ar gyfer Mordecai, er llawenydd mawr i bawb.

Yn draddodiadol, mae pobl yn ymprydio am ddiwrnod cyn yr ŵyl, am fod Esther wedi ymprydio cyn mynd i siarad â'i gŵr. Mae'r diwrnod nesaf yn ddydd o ddathlu ac, yn ôl Llyfr Esther yn y Beibl, Mordecai ei hun wnaeth sefydlu'r ŵyl: 'Rhoddodd Mordecai y pethau hyn ar gof a chadw, ac anfonodd lythyrau at yr holl Iddewon ym mhob un o daleithiau'r Brenin Ahasferus, ymhell ac agos, yn galw arnynt i gadw'r pedwerydd ar ddeg a'r pymthegfed o fis Adar bob blwyddyn fel y dyddiau pan gafodd yr Iddewon lonydd gan eu gelynion, a'r mis pan drowyd eu tristwch yn llawenydd a'u galar yn ŵyl. . . . ddyddiau o wledd a llawenydd, a phawb yn anfon anrhegion i'w gilydd ac i'r tlodion' (Esther 9: 20-22).

Fel arfer, mae dathliadau yn digwydd yn y synagog. Yn ystod y gwasanaeth, mae Llyfr Esther yn cael ei lafarganu i alaw draddodiadol. Mae awyrgylch carnifal ac mae'r plant yn dod mewn gwisg ffansi, yn aml fel Esther neu Mordecai.

Yn ystod y darlleniad, pan fydd sôn am Haman, mae pawb yn ceisio boddi enw Haman drwy guro eu traed ar lawr a gwneud sŵn. Mae sgetsys bach yn cael eu perfformio ac, yn draddodiadol, dyma'r unig adeg o'r flwyddyn pan gaiff myfyrwyr ddynwared unrhyw beth od am eu hathrawon.

Wedi'r darlleniad, mae gweddi arbennig i ddiolch am achub yr Iddewon ac mae pawb yn rhannu pryd arbennig i ddathlu'r ŵyl. Mae'r pryd yma'n tueddu i fod fel parti plant; mae cacen arbennig yn cael ei phobi, yr Hamantashen ('hetiau Haman'), sef trionglau bach o grwst wedi eu llenwi â ffrwythau sych neu hadau pabi. Yn ôl y doethion, dylai pobl yfed cymaint o win nes eu bod yn methu gweld gwahaniaeth rhwng Haman a Mordecai! Mae rhieni'n rhoi rhoddion bach o arian i'w plant a rhoi parseli i'r tlodion.

Pwrim heddiw

Gorymdaith Pwrim.

Eglurwch sut mae gwisgo lan ac actio stori Pwrim yn berthnasol i Iddewon modern.

Un o'r 'gwyliau lleiaf' yw Pwrim, yn draddodiadol. Ar ddiwedd y 19eg ganrif roedd rhai Iddewon an-Uniongred am gael gwared ohoni am ei bod yn ŵyl hen-ffasiwn, werinol. Roedd pobl yn credu ei bod hi'n llawn cenedlaetholdeb a dialedd, a gwerthoedd na ddylid eu cefnogi. Ond mae wedi mynd yn bwysicach eto yn y blynyddoedd diwethaf. Wedi'r holocost Natsïaidd, pan gafodd chwe miliwn o Iddewon eu llofruddio, mae ystyr dyfnach i hanes achub Iddewon Persia. Mae gwladwriaeth wleidyddol Iddewig wedi bodoli ers 1948. Mae'r Iddewon yn fwy na chymuned grefyddol ac ethnig erbyn hyn, ac yn Israel, mae'r ŵyl wedi mynd yn ddydd o garnifal. Mae'r bobl sy'n dathlu yn gwisgo gwisgoedd Pwrim arbennig ac mae gorymdeithiau ar strydoedd yr holl ddinasoedd mawr.

Tasg

Actio rhan	Dychmygwch eich bod wedi byw drwy'r Holocost, ac yn dathlu Pwrim yn Israel. Beth sy'n dod i'ch meddwl a sut ydych chi'n teimlo?

Er bod llawer o Iddewon heddiw yn anghrefyddol, mae llawer ohonyn nhw am i'w plant wybod rhywfaint am eu treftadaeth. Peth digon cyffredin ydy gweld pobl yn ymuno â synagog, ddim ond er mwyn i'w plant gael mynd i'r ysgol grefyddol. Gŵyl i'r plant ydy Pwrim ac mae pob ysgol grefyddol yn cynnal chwaraeon a dathliadau Pwrim. Oherwydd hynny, mae rhieni Iddewig sydd braidd byth yn mynd i'r synagog yn mynd adeg Pwrim oherwydd eu bod wrthi'n gwneud gwisgoedd, yn gwneud cacennau ar gyfer y parti, neu oherwydd eu bod am weld eu plant yn perfformio.

Mae rhai cymunedau Iddewig yn dathlu gwyliau Pwrim eraill, i goffáu adegau yn eu hanes eu hunain pan gafodd eu cymuned ei hachub rhag perygl. Mae'r neges yr un fath bob tro: dydy Duw ddim wedi anghofio am yr Iddewon, hyd yn oed pan fyddan nhw mewn perygl. Mae Duw yn gweithio drostyn nhw ac yn ymdrechu, yn ei ffordd ei hun, i achub ei bobl.

Chanukah

Y gair Hebraeg am ŵyl y Goleuadau yw Chanukah ac mae'n cael ei dathlu am wyth diwrnod. Mae'r hanes yn mynd yn ôl i'r ail ganrif COG. Bryd hynny roedd gwlad Israel yn cael ei rheoli gan gyfres o frenhinoedd Helenistaidd (Groegaidd) oedd am i'r Iddewon droi at grefydd y Groegiaid. Er mwyn eu gorfodi i wneud, dyma nhw'n halogi'r Deml yn Jerwsalem a cheisio gwahardd yr Iddewon rhag arfer eu crefydd. Ond fe gawson nhw eu trechu gan deulu'r Macabeaid a arweiniodd wrthryfel. Ar ôl brwydro am dair blynedd, llwyddodd y Macabeaid i gipio Jerwsalem ac ailgysegru'r Deml. Yn ôl chwedl yn y Talmud, dim ond ychydig iawn o olew cysegredig oedd ar gael i gynnau'r canhwyllbren aur saith-cangen. Drwy wyrth, parodd yr olew wyth diwrnod llawn, gan roi cyfle i'r awdurdodau crefyddol gysegru rhagor o olew.

'SPURS, ARSENAL & CHELSEA ALL ABOVE MAN. UNTD. — NOW, _THAT'S_ WHAT I CALL A MIRACLE !'

Cartŵn o'r Jewish Chronicle.

Mae'r rhan fwyaf o Iddewon Prydain yn byw yn Llundain.

Mae'r canhwyllbren saith-cangen (Menorah) yn un o hen symbolau pwysig Iddewiaeth. Yn ôl Llyfr Exodus, pan oedd yr Iddewon wedi dianc o'r Aifft ac wrthi'n crwydro yn yr anialwch, gorchmynnodd Duw iddyn nhw adeiladu cysegrfa symudol. Un o'r celfi crefyddol ynddi oedd stondin lampau: 'Gorchymyn i bobl Israel ddod ag olew pur wedi ei wasgu o'r olewydd ar gyfer y lamp, er mwyn iddi losgi'n ddi-baid' (Exodus 27: 20). Felly roedd ailgynnau'r canhwyllbren yn symbol o fuddugoliaeth a hyd yn oed heddiw, mae'r canhwyllbren saith-cangen yn symbol o ddyfal-barhad yr Iddewon. Mae un wedi cael ei osod y tu allan i adeilad y Knesset (Senedd Israel).

Cynnau goleuadau Chanukah.

Pam mae symbolaeth goleuni mor gryf?

Arferion Chanukah

Mae Chanukah'n cael ei ddathlu yn y cartref fel arfer. Mae gan bob cartref Iddewig crefyddol menorah Chanukah (neu Chanukiyah), sef lamp olew neu ganhwyllbren â lle arni i naw o oleuadau, gydag un 'gwas' sy'n cael ei ddefnyddio i gynnau'r fflamau eraill. Ar y noson gyntaf, bydd y gwas yn cynnau un gannwyll; ar yr ail noson, dwy, ac yn y blaen. Ar yr wythfed noson, noson olaf yr ŵyl, mae pob un o'r wyth yn cael eu cynnau ac mae'r canhwyllbren yn fflam. Mae'r canhwyllau'n cael eu cynnau o'r dde i'r chwith fel arfer. Yn draddodiadol, dylid rhoi'r canhwyllbren mewn man amlwg, efallai mewn ffenestr, fel ei fod yn cael ei weld gan bobl sy'n mynd heibio. Mae hyn yn eu hatgoffa o ffyddlondeb Duw i'w bobl.

Mae gwahanol gemau yn gysylltiedig â'r ŵyl, yn enwedig chwyrlio top neu dreidl. Mae pedair llythyren Hebraeg wedi eu sgrifennu ar y dreidl, sef llythrennau cyntaf y geiriau sy'n ffurfio'r ymadrodd Hebraeg 'digwyddodd gwyrth fawr yma', ac mae rheolau ar gyfer ei chwyrlio. Mae'r bosibl gwneud dreidl a'r menorah Chanukah yn y cartref, ac mae'n gyfle i'r teulu fod yn greadigol.

Ar ôl cynnau'r menorah, bydd y teulu fel arfer yn bwyta crempog tatws, toesenni siwgr a chnau (er bod hyn yn amrywio gyda gwahanol gymunedau). Hyd yn oed yn y cartref, mae'r emyn 'Maoz Tsur' ('Craig yr Oesoedd'), sydd yn dyddio nôl i'r 13eg ganrif, yn cael ei ganu, neu Salm 30.

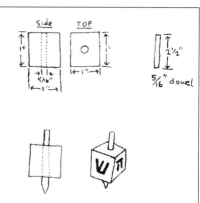

Sut mae chwarae dreidl

Mae pawb yn y gêm yn dechrau â 10 neu 15 ceiniog (neu gneuen, coes matsien, ac yn y blaen). Mae pob chwaraewr yn rhoi un o'r rhain yn y canol (y Pot). Mae'r dreidl yn cael ei chwyrlio gan bob chwaraewr yn ei dro. Mae ennill neu golli yn dibynnu ar ba wyneb o'r dreidl sydd i fyny pan ddaw i stop.

Mae num yn golygu nisht neu 'dim'. Dydy'r chwaraewr ddim yn gwneud dim.

Mae gimmel yn golygu gantz neu 'popeth'. Mae'r chwaraewr yn cymryd popeth sydd yn y Pot.

Mae heh yn golygu halb neu 'hanner'. Mae'r chwaraewr yn mynd â hanner beth sydd yn y Pot.

Mae shin yn golygu shtel neu 'rhoi i mewn'. Mae'r chwaraewr yn rhoi dau beth yn y Pot.

Pan nad oes ond un peth neu ddim ar ôl yn y Pot, mae pob chwaraewr yn ychwanegu un. Pan fydd nifer od o bethau yn y Pot, mae'r chwaraewr sy'n rholio 'hanner' yn cymryd hanner y cyfanswm ac un arall.

Pan fydd un person yn ennill y cwbl, mae'r gêm ar ben.

Nodyn am dreidl: Heb law am yr hwyl, beth allai fod yn well na thop chwyrlio i awgrymu symudiad yr haul, treigl y tymhorau, a'r ddaear yn troi ar ei hechel?

NODYN: Ceisiwch gerfio llythrennau'r dreidl

Sut mae chwarae dreidl.

Ystyriwch rai o'r rhesymau pam y gallai plant bach Iddewig ddrysu Chanukah a Nadolig fel hyn.

'Byddai plant y Cheder yn arfer cael parti Chanukah bob blwyddyn, a byddai'r plant i gyd yn perfformio - canu, dawnsio neu adrodd - os oeddem am wneud. Roedd gwraig y gweinidog yn bianydd da a byddai'n cyfeilio i ni. Byddai'n mynd o blentyn i blentyn a gofyn beth oedden nhw am iddi hi ei chwarae. Pan ddaeth hi'n dro un ferch fach, roedd hi am ganu 'I Orwedd mewn Preseb'. Yn ddi-betrus, chwaraeodd gwraig y gweinidog y gân yn hyfryd iddi a chanodd y plant yn hapus. Mae'n nodweddiadol o'r ffordd Iddewig o fyw - pawb at y peth y bo.'

Norma, Abertawe

Yn ystod y gwasanaeth dyddiol rheolaidd mewn synagog Uniongred, mae'r ŵyl yn cael ei dathlu drwy ddarllen Salmau 113-118 ac adrodd gwahanol weddïau arbennig. Ond, yn draddodiadol, mae Chanukah'n cael ei chyfrif yn un o'r gwyliau lleiaf. Yn wahanol i wyliau'r pererinion, does dim gorchymyn i'w cadw fel 'cymanfa sanctaidd' a does dim rhaid i neb beidio â gweithio.

Yn ystod y ganrif ddiwethaf mae'r ŵyl yma wedi mynd yn bwysig iawn. Heddiw, mae cymuned Iddewig fwya'r byd yn byw yn Unol Daleithau America. Heb law am fynychu seder y Pasg Iddewig (gweler pennod 6), cynnau menorah Chanukah yw'r ddefod Iddewig fwyaf cyffredin ymhlith Iddewon Americanaidd. Y rheswm am hynny ydy'r ffaith fod yr ŵyl yn digwydd tua'r un adeg â'r Nadolig. Yn y blynyddoedd diwethaf, mae pobl wedi mynd i feddwl am ŵyl y Goleuadau fel y 'Nadolig Iddewig' ac mae'n gwbl arferol gweld coeden Nadolig a menorah Chanukah'n cael eu cynnau mewn canolfannau siopa a sgwariau trefi.

> 'Dwi wrth fy modd â Chanukah, yn enwedig pan fydd yr holl deulu'n canu caneuon Chanukah gyda'i gilydd. Pan oedden ni'n blant, bydden ni'n cael anrheg bob nos yn ystod Chanukah, ar ôl cynnau'r canhwyllau. Fydden ni byth yn cael anrhegion mawr i Chanukah, dim ond mân bethau fel sanau, pensiliau a phethau ymolchi - ond roedden ni'n arfer eu gwerthfawrogi lawer mwy. Rydych chi bob amser yn gwerthfawrogi'r pethau bach lawer mwy.'
>
> Dani, Abertawe

Mae rhywbeth tebyg yn y dathliadau yn y cartref. Mae plant yn derbyn anrhegion, un am bob diwrnod o'r ŵyl weithiau. Mae teuluoedd yn dod at ei gilydd, mae prydau bwyd arbennig, ac yn aml, mae'r cartref yn cael ei addurno. Mae hyd yn oed y symbolaeth yn debyg. Mae'r Nadolig yn dathlu geni Iesu, goleuni'r byd. Mae Chanukah'n dathlu adnewyddu goleuni'r Torah yn wyneb anawsterau a gwrthwynebiad. Ond mae pwysigrwydd yr ŵyl yn y gymuned yn dangos fod hyd yn oed Iddewon anghrefyddol yn awyddus i sefyll ar wahân i brif grefydd y wlad a chadw eu harferion eu hunain.

Tasg

Actio rhan	Actiwch y gwahanol rannau mewn dialog rhwng Iddew Americanaidd ifanc a Christion Americanaidd ifanc wrth iddyn nhw egluro Chanukah a'r Nadolig i'w gilydd.

Fun time with trees

TU BISHVAT, the Jewish New Year for trees, is just over three weeks away. At cheder or in school, you may be preparing for the festival by learning about different trees and their fruits. Perhaps you will help in planting a new tree especially for Tu Bishvat.

Edgware Synagogue is organising a "Tu Bishvat Funday" for young families in the community.

Attractions will include a bouncy castle, a ball pond, as well as tree-decorating and planting and a delicious fruit bar.

Children between the ages of three and eight — and their parents — are welcome. The Funday will take place on Sunday, January 20 between 3pm and 5pm. Admission price is £2 per child; adults are free.

If you would like more information, you can contact Rabbi ███████ ██████ on ███████ ███

Mae'r hysbyseb yma ar gyfer gweithgareddau Tu Bishvat yn dangos sut roedd yr ŵyl yn cael ei dathlu mewn synagog yn Llundain yn 2002.

Blwyddyn Newydd y Coed

Mae Blwyddyn Newydd y Coed, Tu Bishvat, yn digwydd ryw fis cyn Pwrim. Mae'r ŵyl yn dyddio'n ôl i oes y Deml yn Jerwsalem. Er mwyn cynnal y Deml, roedd rhaid talu degwm (math o dreth) cyson, ar ffurf ffrwythau roedd perchenogion y tir yn eu rhoi heibio drwy gydol y flwyddyn. Yng ngwlad Israel, mae'r ŵyl yn digwydd ar ddiwedd y tymor glawiog, pan fydd y sudd newydd yn codi yn y coed, ac mae'n nodi dechrau blwyddyn ddegwm newydd. Dydy'r flwyddyn ariannol newydd ym Mhrydain ddim yn dechrau ar Ionawr 1af, ac yn yr un ffordd, roedd blwyddyn y degwm yn dechrau ar ddyddiad gwahanol i'r Flwyddyn Newydd grefyddol (gweler pennod 8).

Ar ôl dinistr y Deml yn 70 OG, daeth yr arfer o dalu degwm i ben. Ond mae'r ŵyl wedi parhau. Yr arfer oedd ceisio bwyta pymtheg gwahanol math o ffrwyth (mae'r ŵyl yn digwydd ar bymthegfed diwrnod mis Shevat). Heddiw, yn Israel, mae'n achlysur hapus iawn. Mae plant yn cael diwrnod o wyliau o'r ysgol ac mae pawb yn mynd allan i'r wlad ac yn plannu coed ifanc i wella'r tir a'i ddiogelu. Wrth wneud hynny, maen nhw'n ufuddhau i'r mitzvah (gorchymyn) yn Llyfr Lefiticus: 'Pan fyddwch yn mynd i mewn i'r wlad ac yn plannu unrhyw goeden ffrwythau . . . yn y bedwaredd flwyddyn bydd ei holl ffrwyth yn sanctaidd, yn offrwm mawl i'r Arglwydd' (Lefiticus 19: 23-24).

Dydd Annibyniaeth Israel

Gŵyl fodern ydy Dydd Annibyniaeth Israel. O adeg dinistr y Deml yn 70OG, bu'r Iddewon yn gweddïo am gael dychwelyd i'r wlad roedd Duw wedi eu haddo iddyn nhw yn yr Ysgrythurau Hebraeg. Ar ddiwedd y 19eg ganrif, dechreuodd grwpiau o arloeswyr ddod i fyw yn y wlad, a phrynu ffermydd i sefydlu gwladfa amaethyddol. Enw'r mudiad yma i sefydlu mamwlad i'r Iddewon yng Ngwlad yr Addewid oedd Seioniaeth. Yn y pen draw, wedi i chwe miliwn o Iddewon Ewropeaidd gael eu llofruddio gan y Natsïaid yn ystod yr Ail Ryfel Byd, ystyriodd y Cenhedloedd Unedig a fyddai hi'n bosibl sefydlu Gwladwriaeth Iddewig. Ar y 14eg Mai 1948, darllenodd y Prif Weinidog newydd Ddatganiad Annibyniaeth yr Iddewon: 'Yr ydym drwy hyn yn datgan sefydlu'r Wladwriaeth Iddewig ym Mhalesteina, ac Israel fydd ei henw'.

Nid dyna ddiwedd y stori. Yn syth wedi i'r wlad newydd gael ei sefydlu, ymosododd y gwledydd o'i chwmpas arni am eu bod yn credu fod y tir wedi cael ei ddwyn oddi wrthyn nhw. Ond gwthiodd lluoedd Israel nhw yn ôl ac ym 1949, cafodd y wlad newydd ei chydnabod yn wladwriaeth annibynnol gan y Cenhedloedd Unedig.

Ers 1948, mae Dydd Annibyniaeth wedi cael ei ddathlu ar y 14eg o Fai, sef pumed dydd mis Iyar yn y calendr Iddewig. Mae gweddïau arbennig yn cael eu dweud yn y gwasanaeth dyddiol yn y synagog ac mae gwahanol ddathliadau swyddogol. Y tu allan i Israel, mewn llefydd lle mae nifer fawr o Iddewon yn byw, fel Efrog Newydd, mae'r dydd yn cael ei ddathlu hefyd gyda phartïon a gorymdeithiau. Mae'n gyfle i Iddewon ym mhedwar ban y byd ddangos eu cefnogaeth i'w cyd-Iddewon ac i'r wladwriaeth Iddewig.

Trydydd dydd ar ddeg ar hugain Omer

Lag ba-Omer ydy enw Hebraeg trydydd dydd ar ddeg ar hugain Omer. Mae tymor cyfrif yr Omer (sef y dyddiau rhwng Pesach a Shavu'ot) yn cael ei ystyried yn gyfnod o alaru gan rai Iddewon. Does neb yn gwybod pam, er bod gwahanol resymau wedi cael eu rhoi. Yn yr ail ganrif OG, lladdodd pla erchyll lawer o ysgolheigion blaenllaw, ac yn ystod cyfnod y Croesgadau yn yr Oesoedd Canol, pan oedd brenhinoedd Cristnogol yn ceisio gyrru'r Mwslimiaid allan o'r Wlad Sanctaidd, cafodd llawer o Iddewon eu lladd yn y gyflafan. Yn ôl y traddodiad, does neb yn cael priodi, a ddylai neb dorri eu gwallt yn y cyfnod yma.

Y trydydd dydd ar ddeg ar hugain ydy'r eithriad mawr. Mae'n gynnar yr yr haf, ac mae'n debyg mai dyma'r diwrnod y daeth y pla i ben. Gŵyl yr ysgolheigion ydy enw'r ŵyl yma, ac mae'n ddiwrnod o lawenhau. Mae myfyrwyr yn yr academïau crefyddol yn mynd am bicnic i'r wlad ac yng ngwlad Israel, bydd Iddewon duwiol yn mynd ar bererindod i fedd un o ddoethion yr ail ganrif, Simeon ben Yochai ym Meron. Roedd Simeon yn arwr a ddaliodd ati i ddysgu ac astudio'r Torah, hyd yn oed pan oedd hynny wedi ei wahardd gan y Rhufeiniaid. Bu'n byw mewn cuddfan gyda'i feibion am dair blynedd ar ddeg nes iddyn nhw glywed am farwolaeth yr Ymerawdr. Yn draddodiadol, dyma pryd mae gwallt bechgyn bach yn cael ei dorri am y tro cyntaf

Tasgau

Tasgau sgrifennu	Eglurwch sut y gallai dathlu'r Dyddiau Llawenydd helpu i gryfhau hunaniaeth Iddewon o fewn a thu allan i Israel.
	Aseswch y farn fod dathlu Dydd Annibyniaeth yn porthi cenedlaetholdeb Israel.

Geirfa

Chanukah	Gŵyl y Goleuadau, yn coffáu glanhau ac ailgysegru'r Deml wedi i'r Brenin Groegaidd Antiochus IV ei halogi, hanes yn Llyfr y Macabeaid yn yr Apocryffa.
Chanukiyah	Canhwyllbren wyth-cangen, â'r canhwyllau sy'n cael eu cynnau adeg Chanukah, i goffáu'r wyth diwrnod a'r wyth noson y llosgodd golau'r Deml, yn wyrthiol, heb olew, wedi i'r brodyr Macabeaidd ryddhau Jerwsalem a glanhau'r Deml.
Esther	Iddewes oedd yn briod â Brenin Persia, a lwyddodd i'w atal rhag erlid yr Iddewon. Mae ei hanes yn Llyfr Esther.
Haman	Haman, prif-weinidog Persia, a geisiodd gael y brenin i ladd yr Iddewon i gyd (Llyfr Esther).
Knesset	Senedd Israel Fodern.
Lag ba-Omer	Trydydd dydd ar ddeg ar hugain Omer pan all pobl ddathlu, torri eu gwallt a phriodi.
Pwrim	'Gŵyl y Coelbrennau' sy'n cofio buddugoliaeth Esther, Brenhines Persia dros Haman, sef hanes Llyfr Esther.

Rosh Hashanah a Yom Kippur

Nod

Ar ôl astudio'r bennod yma, dylech fod yn gallu asesu swyddogaeth a phwysigrwydd cadw Rosh Hashanah a Yom Kippur mewn Iddewiaeth. Dylech fod yn gallu dangos yn glir eich bod yn gwybod ac yn deall yr arferion sy'n gysylltiedig ag ympryd Yom Kippur a dathlu'r Flwyddyn Newydd; eu themâu allweddol; a symbolaeth gwahanol eitemau a gweithgareddau. Dylech hefyd fod yn gallu dangos sut mae cadw'r gwyliau, a thema edifarhau a chymodi, yn cyfrannu at fywyd a hunaniaeth Iddewig

Mae'r ysgrythurau Hebraeg yn dysgu fod bodau dynol wedi cael eu creu gan Dduw, ond eu bod, yn rhy aml o lawer, yn dewis drygioni yn hytrach na daioni. Fel mae Llyfr Genesis yn dweud: 'Gwelodd yr Arglwydd fod drygioni dyn yn fawr ar y ddaear, a bod holl ogwydd ei fwriadau bob amser yn ddrwg . . .' (Genesis 6: 5). Yn ôl y Torah, dim ond drwy aberthu y gellid cael gwared o euogrwydd pechod. Dim ond yn y Deml yn Jerwsalem y gellid aberthu ac, yn ôl y Mishnah: 'Mae'r byd yn sefyll ar dri pheth, ar y Torah, ar wasanaeth y Deml, ac ar garedigrwydd cariadus.' Ond mae proffwydi'r Beibl yn pwysleisio nad oedd aberthu yn unig yn ddigon. Roedd rhaid i chi edifarhau yn wirioneddol (bod yn wir ddrwg gennych) a bod yn benderfynol o wneud yn well yn y dyfodol. Fel mae'r proffwyd Amos yn dweud: 'Ond llifed barn fel dyfroedd a chyfiawnder fel afon gref' (Amos 5: 24).

Wedi dinistr y Deml yn 70OG, daeth y system aberthu i ben. Dim ond drwy edifarhau a gwneud iawn am eu drygioni y gallai pobl gael rhyddhad o bwysau pechod. Cafwyd llawer o ddatganiadau ar y pwnc gan rabbiniaid y cyfnod talmudaidd. Yn ôl awdur defosiynol o'r drydedd ganrif ar ddeg, Jona ben Abraham, dyma'r ffactorau mewn gwir edifeirwch: teimlo bod yn ddrwg gennych, cywilydd, ymostwng i Dduw, cyffesu, gweddïo, talu iawndal i'r dioddefwr, rhoi i elusen, myfyrio ar gosb briodol i'r corff drwy ymprydio ac wylo.

Mae ymprydio, yn enwedig, yn cael ei ystyried yn ffordd o wneud yn iawn am bechod, ac mae'r gymuned Iddewig yn cymryd y dyletswydd yma o ddifrif. Mae sawl diwrnod yn y calendr blynyddol yn ddyddiau ymprydio ac mae hyd yn oed yr Iddew mwyaf anghrefyddol yn gwybod mai'r hydref ydy'r tymor edifeirwch mawr, gyda'r Flwyddyn Newydd (Rosh Hoshanah), y Deg Diwrnod Penydiol, a Dydd y Cymod (Yom Kippur).

Pwnc seminar

Eglurwch y cysylltiad rhwng ymprydio a gwneud yn iawn am bechod.

*Beth mae'r toriad yma o'r Jewish Chronicle yn ei
ddweud wrthon ni am fywyd Iddewig yn Llundain?*

Rosh Hashanah

Rosh Hashanah (yn llythrennol, 'pen y flwyddyn', neu
'penblwydd') ydy'r enw Hebraeg ar y Flwyddyn Newydd,
sef y cyntaf o fis Tishri yn yr hydref. Mae'n ddyddiad pwysig
dros ben yn y flwyddyn Iddewig, ac mae ei wreiddiau yn yr
Ysgrythurau. Yn ôl Llyfr Numeri: 'Ar y dydd cyntaf o'r
seithfed mis yr ydych i gynnal cymanfa sanctaidd, a pheidio
â gwneud dim gwaith arferol. Bydd yn ddiwrnod i chwi
ganu'r utgyrn . . .' (Numeri 29: 1). Mae hefyd yn cael ei
ddisgrifio fel 'dydd o ddwys orffwys' a 'diwrnod coffa'.

Mae'r Mishnah'n egluro fod pob bod dynol yn sefyll ger
bron Duw yn y Flwyddyn Newydd i wynebu ei farn. Mae
nifer bach yn cael eu cydnabod yn rhai cwbl gyfiawn ac
mae grŵp arall yn cael eu condemnio am eu bod yn
anobeithiol o ddrwg. Mae'r mwyafrif helaeth rywle yn y
canol. Mae ganddyn nhw ddeg diwrnod i edifarhau am eu
ffyrdd drygionus cyn y farn flynyddol sy'n cael ei selio ar
Ddydd y Cymod. Am y deg diwrnod yma, mae eu tynged
yn y fantol. Dyma eu cyfle olaf i wneud yn iawn am y
flwyddyn.

Yn y synagog, mae'r ddesg ddarllen a sgroliau'r Torah i gyd
wedi eu gorchuddio â defnydd gwyn. Mae'r rabbi a'r
cantor yn gwisgo gwisgoedd gwyn hefyd. Mae'r
gwasanaethau'n para drwy'r dydd ac mae pobl yn aml yn
eistedd drwy'r cwbl. Mae'r gweddïau ffurfiol yn pwysleisio
brenhiniaeth Duw, a'i ofal a'i bryder am ei bobl. Mae'r
darlleniad o'r Torah yn cynnwys hanes ufudd-dod
Abraham, y ffaith ei fod yn barod i aberthu ei fab (Genesis
22) ac ymhlith y darlleniadau o'r Proffwydi mae hanes geni
Samuel, a gafodd ei gysegru i Dduw cyn iddo gael ei eni (1
Samuel 1).

Edifeirwch a chymod

Y digwyddiad mwyaf cofiadwy ydy chwythu'r shofar ('corn hwrdd'). Mae'n cael ei
chwythu deirgwaith y dydd mewn patrymau penodol; unwaith ar ôl y darlleniad o'r
Torah, unwaith yn ystod y gwasanaeth ychwanegol ac unwaith ar ddiwedd y dydd, cyn y
weddi derfynol. Eglurodd yr athronydd o'r ddeuddegfed ganrif, Maimonides, fod y corn
hwrdd yn galw ar yr Iddewon i edifarhau. Mae'n gorchymyn iddyn nhw ddihuno o'u
cwsg, meddwl am eu gweithredoedd, cofio eu creawdwr, rhoi'r gorau i'w ffyrdd
drygionus, a dychwelyd at Dduw. Wedi'r trydydd dilyniant o chwythiadau, mae'r
gwasanaeth yn dod i ben gyda'r addewid y gall pobl drwy edifarhau, gweddïo a gwneud
pethau caredig osgoi cael eu condemnio gan Dduw.

Profiad arbennig iawn i Iddewon ydy gallu dathlu gwyliau yn ninas sanctaidd Jerwsalem, yn enwedig gwyliau'r pererinion. Am gyfnodau maith yn hanes yr Iddewon, roedd yn amhosibl dathlu unrhyw wyliau yno, ond er sefydlu Gwladwriaeth Israel ym 1948, mae hynny'n bosibilrwydd gwirioneddol erbyn hyn.

Mae'r diwrnod yn cael ei ddathlu gartref gyda bwydydd arbennig. Mae gwin yn cael ei fendithio a'i sancteiddio, fel ar adeg Shabbat. Yna mae bara ac afalau'n cael eu trochi mewn mêl ac mae gweddi arbennig yn cael ei hadrodd, am i'r flwyddyn sydd i ddod fod yn un felys. Ar yr ail noson, mae'n arferol bwyta ffrwyth y tymor newydd nad oes neb wedi ei fwyta o'r blaen (fel pomgranad neu pawpaw). Mae'r teulu'n adrodd bendith, yn diolch i Dduw am eu cadw tan y tymor yma. Mae hefyd yn arferol danfon cardiau at ffrindiau a theulu.

Chwythu'r shofar o flaen y Wal Orllewinol.

Mae Rosh Hashanah yn cael ei ddathlu ledled y gymuned Iddewig. Mae hyd yn oed pobl sydd braidd byth yn mynd i'r synagog yn mynd ddwywaith y flwyddyn, i ddathlu'r Flwyddyn Newydd a Dydd y Cymod. Pan fydd synagog newydd yn cael ei hadeiladu, mae'n rhaid cynllunio'r adeilad yn arbennig (gyda muriau symudol neu ryw ddyfais arall) fel bod lle i gynulleidfa fawr ar y ddau ddiwrnod yma, heb i'r adeilad edrych yn rhy wag ar adegau eraill. Mae'r Flwyddyn Newydd yn ŵyl ddwys-ddifrifol, ond dydy hi ddim yn ympryd swyddogol. Yn hytrach, mae'n ddydd o baratoi ar gyfer yr ympryd. Mae'r deg diwrnod nesaf, y Deg Diwrnod Penydiol, yn arwain at ddydd mwyaf sanctaidd a dwys-ddifrifol y flwyddyn, Dydd y Cymod. Drwy gydol y cyfnod yma mae gweddïau penydiol, neu selichot, yn cael eu hadrodd.

Pwnc seminar

Fel llawer o Gristnogion sydd ond yn mynd i'r eglwys adeg y Pasg a'r Nadolig, dydy llawer o Iddewon ddim yn mynd i'r synagog ond ar gyfer y Flwyddyn Newydd a Dydd y Cymod. Ydych chi'n meddwl fod hynny braidd yn rhagrithiol?

Mae cymod go iawn yn beth anodd. Arweinwyr Israel a Phalesteina ar y pryd yn ysgwyd llaw yn 1993, mewn cyfnod o heddwch cymharol.

On Thursday, you'll begin to know how she feels.

Pam mae Iddewon efallai'n meddwl am bobl dlawd a pobl newynog yn ystod Yom Kippur?

Yom Kippur

Mae Dydd y Cymod (Yom Kippur mewn Hebraeg) yn digwydd ar ddegfed dydd mis Iddewig Tishri. Fel y Flwyddyn Newydd, mae'r ŵyl wedi ei gorchymyn yn yr Ysgrythurau Hebraeg: 'Ar y degfed dydd o'r seithfed mis hwn, yr ydych i gynnal cymanfa sanctaidd; yr ydych i'ch cosbi eich hunain, a pheidio â gwneud dim gwaith. Offrymwch boethoffrwm yn arogl peraidd i'r Arglwydd' (Numeri 29: 7-8). Mae Llyfr Lefiticus yn disgrifio'r seremonïau yn fwy manwl. Rhaid i'r Archoffeiriad wisgo dillad o liain sanctaidd. Rhaid aberthu bustach (tarw ifanc) fel offrwm am bechod. Yna rhaid bwrw coelbren rhwng dau fwch gafr. Rhaid aberthu un i Dduw a danfon y llall, y bwch dihangol, allan i'r anialwch ar ei ben ei hun yn cario pechodau'r bobl (Lefiticus 16). Dyma'r unig ddiwrnod o'r flwyddyn y byddai rhywun yn mentro i mewn i gysegr mewnol y Deml. Bob blwyddyn byddai'r Archoffeiriad yn mynd yno ar ei ben ei hun i weddïo am faddeuant i'r Iddewon.

Mae'r testun yn pwysleisio fod rhaid i'r dydd fod yn sanctaidd am byth: 'Yr offeiriad a eneiniwyd ac a gysegrwyd yn offeiriad yn lle ei dad fydd yn gwneud cymod ... Bydd hon yn ddeddf dragwyddol ichwi. Gwneir cymod unwaith y flwyddyn dros bobl Israel oherwydd eu holl bechodau' (Lefiticus 16: 32, 34). Gan nad oes Teml yn Jerwsalem mwyach, does dim pwrpas i'r holl reolau ynglŷn ag aberthu anifeiliaid, ond mae pobl yn dal i gadw Dydd y Cymod; mae ymprydio wedi cymryd lle aberthu fel ffordd o adfer y berthynas gyda Duw. Yn draddodiadol, mae Iddewon Tra-Uniongred yn cyflawni kapparot ('cymodau'). Mae hyn yn golygu lladd cyw iâr a'i roi i'r tlodion neu roi arian i'r tlodion, er mwyn adfer perthynas iawn gyda Duw.

Cyn y dydd ei hun, mae'n arferol ceisio cymodi gydag unrhyw un mae pobl wedi eu tramgwyddo. Dim ond cymodi am bechodau yn erbyn Duw y gall gweddïo ac ymprydio ei wneud. Yr unig ffordd all pechodau yn erbyn pobl eraill gael eu maddau ydy drwy ofyn maddeuant gan y person a gafodd ei niweidio. Yn ystod y dydd ei hun, mae pawb dros oed Bar neu Bat Mitzvah (gweler pennod 9), os nad ydyn nhw'n sâl, i fod i ymprydio o fin nos tan fachlud haul y diwrnod canlynol. Mae hyn yn golygu peidio â bwyta neu yfed dim. Mae'r diwrnod cyfan yn cael ei dreulio yn y synagog.

Kol Nidre

Mae pum gwasanaeth gwahanol yn y synagog. Enw'r gwasanaeth gyda'r nos ydy Kol Nidre ('Pob llw'), ar ôl y weddi gyntaf, a chanolbwynt y gwasanaeth ydy gweddïau cyffesu. Mae'r rhain bob amser yn dweud 'ni' yn hytrach na 'fi', i bwysleisio fod yr holl gymuned yn gyfrifol (er enghraifft, 'Ein Tad ein Brenin, rydym wedi pechu yn dy erbyn . . .'). Dydy hi ddim yn beth anghyffredin i Iddewon Uniongred caeth aros yn y synagog drwy'r nos yn adrodd Llyfr y Salmau i gyd. Mae gwasanaeth y bore yn cynnwys darlleniad o lyfr Numeri am aberthu a darlleniad proffwydol o Lyfr Eseia am wir ystyr ymprydio: 'Onid rhannu dy fara gyda'r newynog, a derbyn y tlawd digartref i'th dŷ . . . Yna fe ddisgleiria d'oleuni fel y wawr, a byddi'n ffynnu mewn iechyd yn fuan' (Eseia 58: 7-8).

GWEDDI KOL NIDRE

> Boed i ni gael ein rhyddhau o'r holl addunedau ac oblygiadau ofer a wnaethom i Dduw, o'r Yom Kippur hwn tan y nesaf - boed iddo ddod i ni er daioni: y dyletswyddau a'r addewidion na allwn eu cadw, yr ymrwymiadau a'r ymgymeriadau na ddylid fyth fod wedi cael eu gwneud.
>
> Gofynnwn am faddeuant ac am ein rhyddhau o'n methiannau ein hunain. Er bod ein holl addewidion i'n cyd-ddyn yn dal i fod, boed i Dduw ddileu'r addewidion gwag a wnaethom yn ein ffolineb iddo Ef yn unig, a'n gwarchod rhag eu canlyniadau. Paid â'n dal wrth addunedau fel y rhain!
> Paid â'n dal wrth oblygiadau fel y rhain!
> Paid â'n dal wrth y fath lwon gwag!
>
> (M. Braybrooke, *How to Understand Judaism*, SCM 1995, tud. 16)

Tasg

Tasg sgrifennu	Ail-sgrifennwch y weddi yma yn eich geiriau eich hun

Mae'r gwasanaeth ychwanegol yn disgrifio trefn yr addoli yn y Deml ac mae merthyron Iddewig a fu farw dros y ffydd yn cael eu cofio. Mae darlleniadau o gyfnod yr Holocost yn aml yn cael eu cynnwys yn y fan yma. Mae gwasanaeth y prynhawn yn cynnwys y rhestr o briodasau gwaharddedig yn Llyfr Lefiticus a darlleniad o Lyfr Jona sy'n pwysleisio gwerth gwir edifeirwch. Yn y gwasanaeth olaf, mae'r gynulleidfa'n gofyn am i bob unigolyn gael ei farnu'n garedig cyn i'w dynged neu ei thynged gael ei selio'n derfynol. Mae'r gwasanaeth yn gorffen gydag adrodd y datganiad 'Yr Arglwydd, Ef yw Duw, yr Arglwydd, Ef yw Duw' saith gwaith, ac un nodyn terfynol ar y corn hwrdd.

Mae rhan helaeth o'r gymuned Iddewig yn dal i ymprydio ar Ddydd y Cymod ac yn mynychu o leiaf rai o wasanaethau'r synagog. Ar ddiwedd y dydd, mae teimlad o ollyngdod mawr. Mae'r ympryd ar ben. Mae pechod wedi gwahanu'r bobl oddi wrth Dduw, ond drwy'r ympryd, maen nhw'n cyrraedd undod â Duw. Mae'r Iddewon wedi cymodi â Duw. Wedi iddi nosi, bydd pryd anferth o fwyd yn cael ei fwyta ac mae llawenydd a chwerthin. Mae'n arferol dyfynnu'r adnod o Lyfr y Pregethwr: 'Dos, bwyta dy fwyd mewn llawenydd, ac yf dy win â chalon lawen, oherwydd y mae Duw eisoes yn fodlon ar dy weithredoedd' (Pregethwr 9: 7).

Tasgau

Tasgau sgrifennu	Eglurwch pam mae ymprydio wedi cymryd lle aberthu. 'Ni all ymprydio ar ei ben ei hun adfer perthynas iawn gyda Duw.' Aseswch y farn yma.
Trafodaeth ddosbarth	A ydy cadw Yom Kippur yn ffordd seicolegol iach o wella'r berthynas rhwng pobl, neu a ydy'n annog teimladau negyddol o euogrwydd?

Geirfa

cymodi	Gwneud perthynas yn iawn eto, ei gosod ar y sail iawn. Yn ystod Yom Kippur, mae Iddewon yn ceisio cymodi â'i gilydd a gyda Duw.
Deg Diwrnod Penydiol	Y cyfnod o ddeg diwrnod rhwng Rosh Hashanah a Yom Kippur pan fydd Iddewon yn myfyrio ar eu hymddygiad yn y flwyddyn ddiwethaf ac yn gofyn maddeuant gan ei gilydd.
Kol Nidre	Gweddi sy'n cael ei hadrodd yn ystod y gwasanaeth Yom Kippur yn gofyn am gael eich rhyddhau o addunedau annoeth.
Rosh Hashanah	'Pen blwydd', y Flwyddyn Newydd Iddewig, dechrau cyfnod o fyfyrio ar eich ymddygiad sy'n dod i'w anterth ar Yom Kippur.
selichot	Gweddïau penydiol (yn mynegi edifeirwch a cheisio maddeuant).
Yom Kippur	Dydd y Cymod, dydd o ymprydio pan fydd Iddewon yn ceisio cymodi â Duw a gyda'i gilydd.

Adran 3

Nod yr adran

Mae'r adran hon yn gofyn i chi ystyried swyddogaeth defodau tyfiant Iddewig mewn nodi cerrig milltir bywyd a chadarnhau ymrwymiad a hunaniaeth Iddewig, yn ogystal â rhai o'r arferion sy'n nodweddu bywyd Iddewig.

Bydd rhaid i chi ystyried:

1   Swyddogaeth a phwysigrwydd defodau tyfiant mewn cynnal hunaniaeth Iddewig, fel dathliad cymunedol ac o safbwynt ufuddhau i orchmynion.

2   Yr arferion yn gysylltiedig â genedigaeth, dod i oed, priodas a marwolaeth.

3   Rhan addysg mewn bywyd Iddewig.

4   Ufuddhau i ddeddfau yn ymwneud â bwyd, tephilin a mezuzah.

Defodau Tyfiant

Pwysigrwydd defodau tyfiant mewn cynnal hunaniaeth Iddewig.

Drwy gydol hanes, mae pobl wedi symud drwy gyfandiroedd y byd yn chwilio am fwyd a llety, ac i wella eu byd. Fel arfer, mae'r ymfudwyr hyn wedi priodi â brodorion y wlad newydd, a cholli eu defodau a'u harferion o fewn cenhedlaeth neu ddwy. Yn yr Ynysoedd Prydeinig, er enghraifft, daeth ton ar ôl ton o ymfudwyr - y Celtiaid, y Rhufeiniaid, Angliaid a Sacsoniaid, Northmyn a Normaniaid. Dros y canrifoedd, maen nhw wedi cydgymysgu ac, o ganlyniad, wedi colli eu hunaniaethau gwreiddiol.

Mae'r Iddewon hefyd wedi symud o wlad i wlad ac mae ganddyn nhw hen, hen hanes. Ond yn wahanol i'r rhan fwyaf o ymfudwyr, maen nhw wedi llwyddo i gadw eu defodau a'u harferion gwreiddiol. Mae bron dri chan mil o bobl yn y Deyrnas Unedig heddiw sy'n galw eu hunain yn Iddewon. Mae llawer o rai eraill fyddai'n dweud eu bod yn hanner-Iddewon neu eu bod o dras Iddewig. Rhaid gofyn sut mae'r Iddewon wedi llwyddo i bara i fod yn bobl ar wahân pan fo cymaint o bobloedd eraill wedi diflannu o hanes.

> Roedd fy nau datcu yn dod o Rwsia. Roedd cymuned fach Iddewig gyda ni yn Rhydaman, ac roedd gwasanaethau shul (synagog) yn cael eu cynnal mewn stafell fach yng nghefn siop fy nhadcu.
>
> Joyce, Abertawe

> 'Cyrhaeddodd un tadcu yma ym mlynyddoedd cynnar yr ugeinfed ganrif. Roedd yn ddeng mlwydd oed. Treuliodd naw mis yn yr ysgol yn dysgu Saesneg ac yna roedd ganddo becyn i fynd o gwmpas yn gwerthu. Mae'n drueni ein bod ni yn 'ceisio ymdoddi'. Doedd cenhedlaeth tadcu a mamgu ddim yn gallu. Roedden nhw'n bobl amlwg wahanol, bob un â'i becyn ar ei gefn.'
>
> Norma, Abertawe

Pam mae Norma'n credu ei bod hi'n drist fod Iddewon yn ceisio ymdoddi?

Does dim ateb syml i'r cwestiwn, ond un elfen bwysig ydy'r ffaith fod Iddewon wedi byw eu bywydau mewn ffordd wahanol i'w cymdogion an-Iddewig. Rydym eisoes wedi gweld fod ganddyn nhw ddyddiau gŵyl gwahanol. Mae ganddyn nhw hefyd ddefodau gwahanol i ddathlu geni, dod i oed, priodi a marw. Am fod y gyfraith Iddewig yn rheoli pob agwedd o'u bywydau, mae pobl ifanc bob amser wedi cael eu hannog i briodi rhywun o'u cymuned eu hunain. Mae hynny'n golygu fod y traddodiadau yn cael eu trosglwyddo'n naturiol o genhedlaeth i genhedlaeth.

> 'Pan oeddwn i yn yr ysgol, dim ond dau blentyn Iddewig oedd yn y dosbarth, fi a rhyw fachgen. Roeddwn i'n meddwl fod bod yn wahanol yn beth da pan oeddwn i'n blentyn. Hyd yn oed heddiw, mae gen i lawer o ffrindiau sydd heb unryw ffrindiau eraill Iddewig, felly maen nhw'n eiddgar i ddysgu mwy am fy nghrefydd. O edrych yn ôl, byddwn wedi hoffi cael fy magu mewn cymuned Iddewig fwy. Roeddwn i'n cymysgu'n iawn â ffrindiau ysgol ac rydyn ni'n dal yn agos heddiw. Ond dwi'n gweld eisie bod â llawer o ffrindiau Iddewig nawr.'
>
> Danielle, Abertawe

Problemau a chyfrifoldebau bod yn wahanol

Dydy bod yn wahanol ddim wedi helpu'r Iddewon bob amser. Mae pobl yn anghysurus gyda rhai sy'n wahanol iddyn nhw. Drwy gydol hanes, mae pobl wedi meddwl fod yr Iddewon yn od ac yn fygythiol. Mae celwyddau creulon wedi cael eu dweud amdanyn nhw - er enghraifft, roedd pobl yn yr oesoedd canol yn dweud fod yr Iddewon wedi gwenwyno'r ffynhonnau ac mai nhw oedd yn gyfrifol am y Pla Du (rydym yn gwybod heddiw mai llygod mawr oedd yn cario'r haint). Hyd yn oed o fewn cof pobl heddiw, yn yr Almaen Natsïaidd, cafodd yr Iddewon eu hela fel anifeiliaid, eu corlannu mewn gwersylloedd carchar, a'u llofruddio. Yr enw am y casineb yma tuag at Iddewon ydy gwrth-Semitiaeth. Nid Iddewon ydy'r unig bobl yn y byd sydd wedi cael eu herlid yn fwriadol, ond mae rhagfarn yn erbyn yr Iddewon wedi bod yn rhan gyson o'r profiad Iddewig ers mwy na dwy fil o flynyddoedd.

Mae'r ddwy bennod nesaf, 'Bywyd Teuluol' a 'Cyfreithiau Bwyd a Bywyd Bob-dydd' yn disgrifio ac yn egluro rhai o'r arferion sydd wedi cadw'r Iddewon ar wahân ac yn wahanol i'w cymdogion. Rhaid pwysleisio dau bwynt cyn dechrau. Yn gyntaf, dydy Iddewon ddim yn parchu'r cyfreithiau a'r arferion yma er mwyn bod yn wahanol. Mae cadw at yr hen ffyrdd wedi eu gwneud yn wahanol, ond nid hynny oedd y rheswm. Maen nhw'n ufuddhau i'r gorchmynion am eu bod yn credu fod Duw am iddyn nhw ufuddhau. Mae mor syml â hynny.

Yn ail, cyfreithiau ac arferion Iddewon Uniongred ydy'r rhan fwyaf o'r rhai sy'n cael eu disgrifio isod. Dydy llawer o Iddewon heddiw ddim yn credu nac yn mynd i'r synagog. Dydy hyn ddim yn golygu nad ydyn nhw'n Iddewon gan nad ydy hunaniaeth Iddewig yn dibynnu ar gred, ond dydy'r rhain ddim bellach yn dilyn ffyrdd eu hynafiaid. Mae grwpiau eraill hefyd, o'r enw Iddewon Diwygiedig neu Ryddfrydol, sy'n arfer eu crefydd mewn ffordd sy'n ymyrryd llai â bywyd modern. Felly rhaid deall fod gwahanol Iddewon yn perfformio'r defodau yma mewn gwahanol ffyrdd.

Bywyd teuluol

Nod

Ar ôl astudio'r bennod yma, dylech fod yn gallu asesu swyddogaeth a phwysigrwydd cadw'r defodau tyfiant yn y teulu Iddewig. Dylech fod yn gallu dangos yn glir eich bod yn gwybod ac yn deall y defodau a'r arferion ac egluro'r symbolaeth allweddol a themâu allweddol. Dylech fod yn gallu dangos sut mae cadw'r defodau yn cyfrannu at hunaniaeth Iddewig a bywyd teuluol. Dylech hefyd allu asesu rhan addysg mewn diogelu gwerthoedd ac arferion Iddewig.

Mae llawer o ddefodau pwysicaf Iddewiaeth yn digwydd yn y cartref. Mae Iddewon wedi pwysleisio pwysigrwydd bywyd teuluol erioed. Yn hanes y Creu yn Llyfr Genesis, cafodd menyw ei chreu yn ogystal â dyn oherwydd fod Duw wedi dweud: 'Nid da bod y dyn ar ei ben ei hun; gwnaf iddo ymgeledd cymwys' (Genesis 2: 18). Ymhlith Iddewon Uniongred, mae priodi a magu plant yn rhan hanfodol o'r bywyd crefyddol, ac mae prif ddigwyddiadau bywyd, geni, dod i oed, priodi a marw, yn digwydd yng nghyd-destun y teulu.

Defodau geni

Y gorchymyn cyntaf yn y Beibl ydy 'Byddwch ffrwythlon ac amlhewch' (Genesis 1: 28). Mae geni plentyn yn achos llawenydd mewn teulu Iddewig. Mae pob baban newydd yn cael enw Hebraeg. Mae hwnnw fel arfer yn debyg i'w enw seciwlar, felly byddai Dafydd yn David a Louise yn Lea. Yn y synagog ac ar ddogfennau crefyddol ffurfiol, mae Iddewon yn cael eu galw wrth eu henw Hebraeg, a'u disgrifio fel mab neu ferch y tad. Felly byddai Dafydd ap Sion yn David ben Johanan, a byddai Louise Evans, merch Jacob Evans, yn Lea bat Iacov. Bydd y baban newydd, os mai merch ydy hi, yn cael ei henwi yn y synagog pan fydd ei thad yn cael ei alw i ddarllen sgrôl y Torah.

Enwaedu

Os mai bachgen ydy'r baban, bydd yn cael ei enwi wrth gael ei enwaedu. Mae'r seremoni, sy'n golygu torri'r blaengroen o bidyn y bachgen, yn digwydd gartref pan fydd y baban yn wyth diwrnod oed. Yn ôl y gyfraith Iddewig, rhaid i bob bachgen gael ei enwaedu. Yn Llyfr Genesis, dwedodd Duw wrth y partriarch Abraham, 'Y mae pob gwryw ohonoch i'w enwaedu . . . a bydd yn arwydd cyfamod rhyngom' (Genesis 17: 10-11). Mae'r llawdriniaeth yn cael ei gwneud gan arbenigwr (mohel) sydd wedi cael hyfforddiant drylwyr.

Ond nid cael ei enwaedu sy'n gwneud plentyn yn Iddew. Mae eisoes yn Iddew am ei fod wedi cael ei eni i fam o Iddewes. Dim ond symbol ydy enwaedu (Brit Milah) o'r ffaith fod y plentyn wedi mynd yn rhan o'r cyfamod.

Pwnc seminar

Eglurwch rai o'r rhesymau pam mae crefyddau yn dathlu defodau tyfiant.

Seremoni enwaedu.

Yn ystod y gwasanaeth byr gyda'r seremoni bydd y tystion yn gweddïo 'Fel y mae'r plentyn hwn wedi mynd yn rhan o'r Cyfamod, boed iddo hefyd fynd i mewn i'r Torah, y canopi priodasol a gweithredoedd da.' Bydd parti wedyn. Bydd ffrindiau a pherthnasau yn teithio o bell i fod yn bresennol, ac mae llawenhau mawr am fod y traddodiad Iddewig yn mynd i barhau drwy genhedlaeth arall.

Mae meibion hyd yn oed Iddewon cwbl anghrefyddol yn tueddu i gael eu henwaedu. Mae rhywbeth pwerus iawn ynglŷn â'r cyfuniad o boen, tynnu gwaed, symbolaeth hynafol a dathliad teuluol, a dydy pobl ddim am golli gafael ar hynny.

Pwnc seminar

Eglurwch rai o'r rhesymau pam mae enwaedu yn ddefod mor bwerus a llawn ystyr i deuluoedd Iddewig.

Prynedigaeth y Cyntafanedig

Os mai bachgen ydy plentyn cyntafanedig y fam, mae defod arall yn cael ei chynnal hefyd, sef Prynedigaeth y Cyntafanedig (Pidyon ha-Ben). Yn ôl Llyfr Exodus, dwedodd Duw: 'Cysegra i mi bob cyntafanedig; eiddof fi yw'r cyntaf a ddaw o'r groth ymysg yr Israeliaid, yn ddyn ac anifail' (Exodus 13: 2). Mae Iddewon yn credu fod hyn yn golygu fod y baban yn perthyn i Dduw, a bod rhaid i'w rieni'i brynu yn ôl.

Prynedigaeth y Cyntafanedig.

Mae'r seremoni yma'n digwydd pan fydd y plentyn yn 31 diwrnod oed. Mae'r baban yn cael ei gario i mewn ac mae'r tad yn rhoi swm o arian o flaen y rabbi neu'r un sy'n gweinyddu'r seremoni. Mae hwnnw'n gofyn iddo beth sydd orau ganddo, colli'r baban neu'r arian, ac mae'r tad yn ateb 'Gwell gennyf brynu fy mab yn ôl. Dyma werth ei brynedigaeth mae'n rhaid i mi ei roi i chi yn ôl y Gyfraith'. Gall y gweinyddydd gadw'r arian, ond fel arfer mae'r swm yn cael ei roi i achos da. Unwaith eto, bydd parti ar ôl y seremoni ffurfiol. Dim ond yr Uniongred sy'n cadw'r ddefod yma; dydy Iddewon Diwygiedig ddim yn credu ei bod yn golygu dim byd heddiw.

Byddwch wedi sylwi mai defodau ar gyfer bechgyn yn unig ydy'r rhain. Yn y blynyddoedd diwethaf mae pobl wedi ceisio dyfeisio dathliadau llawen ar enedigaeth merched, ond dydy'r rheiny ddim yn rhan o'r traddodiad a dydyn nhw ddim yn cael eu harfer gan yr Uniongred.

Dod i oed

Yn draddodiadol, mae addysg bechgyn wedi bod yn wahanol i addysg merched. Dyletswydd y tad ydy addysgu ei holl blant yn y gorchmynion, ond mae addysg grefyddol merched yn tueddu i bwysleisio'r cartref - sut i gadw aelwyd Iddewig. Mae disgwyl i fechgyn, ar y llaw arall, astudio'r Beibl, y Mishnah a'r Talmud yn fanwl, yn ogystal â'u pynciau ysgol arferol. Am fod y gyfraith Iddewig mor gymhleth, mae'n rhaid ei hastudio'n fanwl am gyfnod maith. Ers canrifoedd, mae Iddewon wedi parchu dysg, ac mae rhieni'n aberthu llawer iawn i alluogi meibion i fynd yn ysgolheigion.

Mae'r parch yma at addysg yn dal i fod ym mhob rhan o'r gymuned. Ymhlith Iddewon an-Uniongred, mae'r pwyslais wedi newid: maen nhw am i'w plant wneud yn dda yn yr ysgol a'r brifysgol ac, yn enwedig, paratoi i fynd yn feddygon neu gyfreithwyr neu i alwedigaeth ddysgedig arall. Ond does dim byd wedi newid ymhlith yr Uniongred caeth. Maen nhw'n para i gredu mai gwybodaeth grefyddol draddodiadol sy'n bwysig, a gall bachgen Uniongred ddisgwyl astudio'r Mishnah a'r Talmud yn llawn-amser nes ei fod yn ei ugeiniau cynnar.

Y Bar Mitzvah

Mae bachgen o Iddew yn cael ei ystyried yn oedolyn pan fydd yn dair-ar-ddeg oed. Mae dyletswydd arno i ufuddhau i'r gorchmynion ei hun bryd hynny. Mae'n mynd yn Fab y Gorchymyn ('Bar Mitzvah'), ac i nodi'r achlysur, mae'n cael ei alw i fyny yn y synagog i adrodd y fendith dros sgrôl y Torah a llafarganu rhai adnodau o ddarlleniad yr wythnos. Efallai y bydd yn darllen o lyfrau'r proffwydi hefyd a rhoi araith i ddangos ei wybodaeth o'r Mishnah a'r Talmudau.

I blentyn sydd wedi derbyn addysg Uniongred, dydy hynny ddim yn anodd. Bydd yn gallu darllen Hebraeg mor rhugl â'i iaith ei hun, a bydd yn gyfarwydd â'r darnau o'r Torah. Mae'n llawer mwy anodd i fechgyn an-Uniongred. Mae Hebraeg sgrôl y Torah wedi ei sgrifennu heb lafariaid a bydd angen llawer iawn o wersi preifat i wneud yn siŵr ei fod yn gallu darllen y testun. Wedi'r gwasanaeth, bydd parti fel arfer gyda ffrindiau a pherthnasau yn ymuno â'r teulu i ddathlu. Gall y parti fod yn un mawr, moethus ond does dim rhaid iddo fod. Y peth pwysig ydy cefnogi'r bachgen yn ei fywyd crefyddol, a'r ffaith ei fod yn cael ei weld yn cymryd ei le yn y gymuned.

Pwnc seminar

Beth yn eich barn chi, sydd fwyaf pwysig – hen draddodiad neu gydraddoldeb rhywiol? Eglurwch eich barn a rhoi rhesymau.

Jonathan yn cario'r Sefer Torah pan oedd yn Bar Mitzvah wrth y Wal Orllewinol yn Jerwsalem.

'I mi roedd fel, yn lle perfformio i'r clwb drama yn y gwersyll, roedd fel perfformiad ar gyfer Duw – lawer mwy difrifol, ond yn dal yn fath o sioe. Rhaid i chi ddysgu'ch llinellau, dysgu caneuon, ymarfer, ac yna rhoi un perfformiad, ond y gynulleidfa ydy'r teulu a Duw, felly mae'n dipyn bach mwy o her ac yn frawychus braidd!'

Jonathan, Abertawe

Mae sefyllfaoedd gwleidyddol yn y byd wedi effeithio ar y ffordd mae'r Bar Mitzvah'n cael ei ddathlu weithiau. Fel yr eglurodd aelod o'r gymuned Iddewig yn Abertawe, mewn Bar Mitzvah modern mae'n bosibl gweld tadcu 75 oed yn rhannu Bar Mitzvah gyda'i ŵyr. Y rheswm am hynny ydy nad oedd y tadcu wedi cael dathliad erioed oherwydd yr holocost. Yn ystod y Rhyfel Oer hefyd, byddai plant Iddewig ym Mhrydain yn 'rhannu' Bar Mitzvah yn yr ysbryd gyda plant Iddewig yn Rwsia nad oedd yn gallu cael seremoni na dianc i wlad arall.

Parti Bar Mitzvah Joshua yng Nghaerdydd.

Pam mae cymaint o grefyddau'n dathlu'n symbolaidd fod y plentyn yn troi'n oedolyn?

Pan gefais i fy Bar Mitzvah, roeddwn yn teimlo mwy o gyfrifoldeb. Roedd pobl yn edrych arna'i fel dyn nawr, o safbwynt crefyddol. Ar ôl i chi gael Bar Mitzvah, rydych chi'n cymryd llawer mwy o ran yn y seremonïau crefyddol. Rydych yn cael eich derbyn i mewn i'r gymuned a'ch trin fel person cydradd.

Er eich bod wedi cael eich Bar Mitzvah ac wedi mynd yn ddyn, dydy'ch addysg ddim yn gorffen bryd hynny, ac mae llawer i'w ddysgu. Dydy Bar Mitzvah ddim yn golygu eich bod chi'n ddoeth yn awr – dim ond eich bod yn gwybod beth sy'n iawn a beth sy'n ddrwg.

Joshua, Caerdydd, 13 oed

Y Bat Chayil

Yn draddodiadol, mae merched wedi dod i oed ar eu penblwydd yn ddeuddeg oed, ond does dim rhaid gwneud dim byd arbennig i nodi'r achlysur yn gyfreithiol. Mewn rhai cymunedau Uniongred, mae seremoni'n cael ei chynnal bob blwyddyn ar gyfer pob merch ddeuddeg oed gyda'i gilydd. Gwasanaeth Bat Chayil ('Merch y Bywyd') ydy hwn, a bydd pob merch yn darllen ac adrodd gweddi yn ei thro. Ymhlith yr an-Uniongred, mae'n arfer erbyn hyn fod merched yn mynd yn Bat Mitzvah ('Merch y Gorchymyn') ac mae'r seremoni bron yn union yr fath â rhai eu brodyr. Mae hyn eto wedi datblygu yn sgîl y pwyslais modern ar hawliau merched, a does dim sail i'r seremoni yn y traddodiad Iddewig.

Merch yn dathlu ei Bat Chayil.

Beth ydy'r gwahaniaeth rhwng Bat Chayil a Bar Mitzvah?

Ysgolion Iddewig

Mae rhai o Iddewon y Diaspora yn penderfynu danfon eu plant i ysgolion Iddewig yn hytrach nag ysgolion gwladol. Mae ysgolion Iddewig wedi bod ym Mhrydain ers y bedwaredd ganrif ar bymtheg ganrif ac mae rhyw 15% o blant Iddewig ym Mhrydain mewn ysgol benodol Iddewig ar hyn o bryd. Mae llawer o'r rhain yn ysgolion Gwirfoddol Cynorthwyedig, sy'n golygu eu bod yn derbyn peth o'u harian gan y llywodraeth. Mae disgyblion yr ysgolion hyn yn astudio'r cwricwlwm cenedlaethol cyffredin, ond maen nhw'n cael llawer o addysg grefyddol Iddewig hefyd. Mae ysgolion o'r fath yn gallu helpu gyda byw bywyd Iddewig: mae bwyd kosher yn y cantîn, mae mezuzot yn cael eu rhoi ar byst y drysau, gall y diwrnod ysgol orffen cyn machlud haul nos Wener, hyd yn oed yn y gaeaf, a gall disgyblion ddysgu Hebraeg.

Mae llawer o deuluoedd Iddewig yn credu fod Iddewiaeth yn cyffwrdd â phob agwedd ar fywyd, ac na ddylid anghofio am grefydd yn yr ysgol. Mae addysg benodol Iddewig yn rhan hanfodol o'r ffordd Iddewig o fyw. Mae'r pwyslais yma yn rheswm arall dros barhad Iddewiaeth ar hyd y canrifoedd, er gwaethaf yr erlid. Mae plant yr ysgolion Iddewig yn cael eu hatgoffa o hyd am eu hunaniaeth ac am hanes eu pobl.

Mae pobl sydd yn erbyn ysgolion ar wahân, yn cynnwys rhai Iddewon sy'n gwrthod danfon eu plant i ysgolion Iddewig, yn dadlau fod addysgu disgyblion ar wahân yn ei gwneud hi'n amhosibl i wahanol grefyddau a diwylliannau ddysgu oddi wrth ei gilydd drwy i'r plant gymysgu a mynd yn ffrindiau. Yn draddodiadol, mae Iddewon wedi ofni cymysgu fel hyn, oherwydd yr angen am gadw eu harferion arbennig a'u purdeb defodol. Ond mae Iddewiaeth wedi datblygu, ac mae llawer o Iddewon an-Uniongred yn teimlo fod cymysgu ag an-Iddewon o fudd mawr, i gymdeithas ac i Iddewiaeth. Efallai y bydden nhw'n dadlau hefyd mai ar yr aelwyd, nid yn yr ysgol, y dylai plant fod yn dysgu am arferion a chredoau Iddewig.

A bod yn onest, mae'n anodd dweud beth mae bod yn berson ifanc Iddewig yn yr 21ain ganrif yn'i olygu i fi. I ddechrau, mae'n anodd gwybod a ddylwn feddwl amdanaf fy hun fel 'person ifanc Iddewig' neu 'Iddew ifanc'.

Ar ystyr bedantig, maen nhw'n wahanol iawn. Mae 'person ifanc Iddewig' yn ymuniaethu yn y lle cyntaf â phobl sydd heb ryddid ledled y byd; ac fel y gwelais yn ddiweddar, mae diwylliant arddegol yr un fath, yn Llundain neu yn Oslo, Mae gwahaniaethau, wrth gwrs (yn Oslo, mae pob person ifanc yn berchen pabell a sgidiau cerdded trwm) ond mae'r rhain yn tueddu i fod yn amrywiadau rhanbarthol, yn hytrach nag effaith unrhyw wahaniaeth sylfaenol.

Mae 'Iddew ifanc' yn awgrymu mwy o lwybr, symud ymlaen yn raddol tuag at fod yn 'Iddew aeddfed', proses o dwf a datblygiad (ymddiheuriadau os ydy hyn yn swnio fel gwers fioleg).

Dwi'n credu fod y diwylliant arddegol cyffredinol, i raddau helaeth, yn cymryd lle'r un Iddewig, nid o awydd athronyddol cryf i wrthod Iddewiaeth, ond yn syml iawn am ei fod yn hawdd, mae wrth law, ac mae'n symleiddio beth ddylai a beth na ddylai person fod. Mae hyd yn oed lle yn y diwylliant arddegol yma i grefydd, mewn cymedroldeb.

I mi, mae Iddewiaeth yn beth hanfodol grefyddol yn hytrach na mater o dreftadaeth gymdeithasol neu ddiwylliannol. Wrth gwrs, dwi'n hoffi'r teimlad o 'frawdoliaeth' - yn yr ysgol, dwi'n un o aelodau canolog 'Criw Iddewig Gogledd Llundain' sydd, fel mae'n digwydd, yn cynnwys Arab - ac mae'n braf gwybod y gallaf ddod o hyd i bryd bwyd Shabbat mewn gwlad ddieithr pe bawn i eisiau.

Ond dwi'n credu mai'r unig reswm mae'r pethau hyn yn bod ydy oherwydd bodolaeth Iddewon sy'n poeni am agwedd grefyddol Iddewiaeth. Does dim angen i bob Iddew fod yn grefyddol, ond pe na bai neb yn grefyddol, dwi'n credu y byddai Iddewiaeth, sut bynnag rydych chi'n ei diffinio, yn farw mewn dim o amser.

Gabriel
Myfyriwr, 16 oed

Disgrifiad gan Iddew 16 oed o beth mae bod yn Iddew yn ei olygu iddo.

Pwnc seminar

Beth ydy'r prif faterion mae Gabriel yn eu codi yn ei ddisgrifiad o fyw bywyd Iddewig yn Llundain? Pam mae e'n gwahaniaethu rhwng y syniad o 'berson ifanc Iddewig' ac 'Iddew ifanc'?

Tasgau

Tasgau sgrifennu	Eglurwch yr agwedd Iddewig tuag at addysg.
	'Mae ysgolion Iddewig ar wahân yn hanfodol i barhad Iddewiaeth yn y Diaspora'. Aseswch y farn yma.
Tasg ymchwil	Lluniwch brosbectws ar gyfer ysgol Iddewig yng Nghymru, yn cynnwys llythyr gan y Prifathro/Brifathrawes at rieni yn egluro ethos yr ysgol. Meddyliwch am bethau fel y cwricwlwm sy'n cael ei ddysgu, natur Iddewig pob agwedd o fywyd yr ysgol (e.e. addoli, polisi ymddygiad, bwyd, addysg grefyddol, datblygiad ysbrydol a moesol) a'r agwedd Gymreig i fywyd yr ysgol.

Priodas

Mae priodas yn rhan hanfodol o Iddewiaeth. Does dim mynachod neu leianod Iddewig. Mae disgwyl i bawb briodi, cadw aelwyd Iddewig a magu plant Iddewig. Yn y gorffennol byddai Iddewon yn priodi Iddewon eraill, bron bob amser. Dim ond o fewn eu cymunedau eu hunain y bydden nhw'n cymdeithasu, ac o achos gwrth-semitiaeth, doedd pobl eraill ddim yn ystyried Iddew fel cymar derbyniol. Mae hyn wedi newid heddiw. Mae'r rhan fwyaf o Iddewon yn mynd i ysgolion cyffredin a phrifysgolion seciwlar, ac maen nhw'n gweithio gydag an-Iddewon. O ganlyniad, mae'n fwyfwy cyffredin i Iddewon 'briodi allan'. Yn America heddiw, er enghraifft, mae mwy na hanner yr Iddewon sy'n priodi yn priodi an-Iddewon.

Mae effaith hyn ar y gymuned yn ddifrifol. Mae Iddewdod yn cael ei draddodi gan y fam i'r ferch. Er fod rhai pobl yn troi'n Iddewon, dydy pob priod an-Iddewig ddim yn fodlon gwneud hynny. O ganlyniad, mae pryder gwirioneddol ynglŷn â dyfodol Iddewiaeth.

Tasgau

Actio rhan	Actiwch ddialog lle mae Iddewes yn ceisio egluro wrth ei gŵr an-Iddewig pam ei bod yn bwysig iddi hi ei fod e'n cael troedigaeth at Iddewiaeth.
Tasg ymchwil	Gan ddefnyddio'r Rhyngrwyd, ceisiwch ddarganfod sut mae rhai Iddewon yn chwilio am gymar priodasol addas.

Yn ôl dysgeidiaeth Iddewig, yr unig briodas Iddewig ddilys ydy priodas rhwng dau bartner Iddewig, a dim ond os ydy'r ddau bartner yn Iddewon y bydd y rhan fwyaf o rabbiniaid yn fodlon gweinyddu. Gall y briodas fod gartref, yn y synagog neu mewn man arall, ond mae bob amser yn cynnwys pum elfen. Yn gyntaf, rhaid arwyddo'r cytundeb priodas (Ketubah). Mae'r ddogfen yma yn dyddio o oes y Talmud ac mae'n addo swm o arian i'r briodferch y bydd rhaid i'r gŵr ei dalu os bydd y pâr yn ysgaru.

Yn ail, mae'r priodfab a'r briodferch a'u rhieni yn sefyll o dan y canopi priodasol (y chuppah). Math o do uwch eu pennau ydy hwn, heb ochrau, ac mae'n symbol o'r cartref Iddewig y bydd y pâr yn ei rannu. Yn drydydd, mae gwin yn cael ei fendithio ac mae'r pâr ifanc yn yfed o'r un cwpan. Yn bedwerydd, mae'r priodfab yn rhoi modrwy am fys y briodferch ac yn datgan o flaen y tystion: 'Wele, rwyt wedi dy gysegru i mi yn ôl cyfreithiau Moses ac Israel'. Yn bumed, mae'r priodfab yn sathru ar wydr a'i dorri. Does neb yn siŵr iawn beth ydy ystyr yr arfer yma, ond mae rhai'n meddwl ei fod yn atgof o ddinistr Teml Jerwsalem yn 70OG.

'Pan fydd y priodfab Iddewig yn mynd o'r chuppah, dydy hynny ddim yn golygu ei fod wedi cael traed oer ac am ddianc. Mae wedi mynd i addurno'r briodferch, a gwneud yn siŵr mai'r ferch o dan y feil ydy'r un mae am ei phriodi. Mae hyn yn dilyn y stori yn y Torah.'

Norma, Abertawe

Y cytundeb priodas.

Ydy cytundeb priodas yn syniad da? Eglurwch eich ateb.

Mae Hollywood wedi gwneud nifer o ffilmiau da gyda themâu Iddewig. Mae 'Yentl' ynglŷn â'r anawsterau roedd menywod Iddewig yn nwyrain Ewrop yn eu hwynebu a buddugoliaeth cariad dros bob anhawster.

Mae priodas Iddewig yn achlysur hapus iawn. Yn ôl un fendith draddodiadol sy'n dyddio o oes y Talmud, 'cyflwr o lawenydd a balchder, chwerthin a gorfoledd, pleser a hyfrydwch, cariad, heddwch a chyfeillgarwch' ydy priodas. Er nad ydy rhieni'n trefnu priodasau eu plant erbyn hyn, yn y gymuned Uniongred bydd rhieni a pherthnasau'n gwneud eu gorau glas i gyflwyno pobl ifanc i rywun allai fod yn briod derbyniol. Priodas Iddewig ydy diweddglo hapus yr holl obeithion ac ymdrechion yma.

> 'Mae pawb yn hapus mewn dathliad priodas. Mae llawer o ganu a dawnsio. Mae'r briodferch yn eistedd mewn cadair ac mae'i ffrindiau yn ei chodi yn y gadair fry i'r awyr a'i chario o gwmpas y stafell. Mae 'run fath i'r priodfab.'
>
> Norma, Abertawe

Y briodferch yn cael ei chodi fry yn ystod y dathliadau priodas.

Ysgariad

Ond mae Iddewon yn cydnabod hefyd nad ydy priodasau bob amser yn hapus ac mae wedi bod yn bosibl ysgaru ers y cyfnod beiblaidd. Mae'r drefn wedi ei gosod allan yn Llyfr Deuteronomium: 'Os bydd dyn wedi cymryd gwraig a'i phriodi, a hithau wedyn heb fod yn ei fodloni am iddo gael rhywbeth anweddus ynddi, yna y mae i ysgrifennu llythyr ysgar iddi [Get], a'i roi yn ei llaw a'i hanfon o'i dŷ' (Deuteronomium 24: 1). Mae'r wraig wedi ei diogelu'n ariannol gan ei chytundeb priodasol a phwrpas y ddogfen ysgaru ydy dangos ei bod yn rhydd i briodi eto. Y dyn sy'n rhoi'r ddogfen bob amser. Yn ôl cyfraith Iddewig, all gwraig ddim dechrau proses ysgaru.

Doedd hynny ddim mor bwysig pan oedd Iddewon yn byw gyda'i gilydd mewn pentrefi bach. Bryd hynny, gallai'r gymuned roi pwysau cymdeithasol ac economaidd ar ŵr anffyddlon neu greulon i wneud yn siŵr ei fod yn rhyddhau ei wraig. Dydy hi ddim mor hawdd heddiw. Os bydd dyn yn gwrthod ysgariad i'w wraig, all hi wneud dim byd ynglŷn â hynny. Am y rheswm yma, mae Iddewon an-Uniongred yn ystyried fod cyfreithiau traddodiadol ysgaru yn annheg i fenywod, ac maen nhw'n eu hanwybyddu. Ond mae Iddewon Uniongred yn dal i ufuddhau iddyn nhw, sydd weithiau'n gadael menywod mewn sefyllfaoedd anodd iawn.

Marwolaeth

Yn ôl Iddewiaeth, rhodd gan Dduw ydy bywyd. Mae unrhyw fath o ewthanasia wedi ei wahardd. Ond pan nad oes unrhyw obaith mwyach, a'r claf mewn poen mawr, mae hawl i weddïo am farwolaeth. Mae'r person sy'n marw yn cael ei annog i gyffesu wrth Dduw am y tro olaf ac, yn ddelfrydol, y geiriau olaf fydd y Shema: 'Gwrando, O Israel: Y mae'r Arglwydd ein Duw yn un Arglwydd' (gweler pennod 5).

Yn draddodiadol, mae'r corff yn cael ei gladdu cyn gynted â phosib wedi i'r person farw, o fewn pedair awr ar hugain os oes modd. Yn y cyfnod cyn claddu, ddylai'r corff ddim cael ei adael ar ei ben ei hun am eiliad. Mae'n cael ei orchuddio â chynfas, gyda channwyll olau wrth y pen, ac mae'r teulu agos yn rhwygo eu dillad yn symbolaidd. Mae gan bob cymuned gymdeithas gladdu, grŵp o wirfoddolwyr sy'n golchi'r corff a'i baratoi ar gyfer ei orffwysfan olaf. Mae'r corff yn cael ei wisgo mewn amwisg wen syml, oherwydd mae'r traddodiad yn dysgu fod pawb yn gydradd mewn marwolaeth, ac mae'n cael ei osod mewn arch blaen.

Mae pedair rhan i'r gwasanaeth angladdol: gorymdaith fer i'r fynwent, y claddu ei hun, araith angladdol fer ac adrodd gweddi'r Kaddish.

Y fynwent Iddewig, Prâg.

Mae Iddewon bob amser yn cael eu claddu yn hytrach nag amlosgi oherwydd eu cred yn Atgyfodiad y Meirw ar derfyn amser.

Kaddish y Galarwr

Ac yn awr, gweddïaf arnat, gâd i nerth yr Arglwydd fod yn fawr, fel yr wyt wedi llefaru. Cofia, O Arglwydd, dy dyner drugareddau a'th garedigrwydd cariadus; oherwydd felly y buont yn oes oesoedd.

Galarwr
Mawryger a sancteiddier Ei enw mawr yn y byd a greodd yn ôl ei ewyllys. Boed iddo sefydlu ei deyrnas yn ystod eich oes ac yn ystod eich dyddiau, ac yn ystod bywyd holl dŷ Israel, yn fuan a chyn bo hir; a dywedwch Amen.

Cynulleidfa a galarwr
Bendigedig fo'i enw mawr yn oes oesoedd ac am holl dragwyddoldeb.

Galarwr
Bendithier, moler, gogonedder, dyrchafer, clodforer ac anrhydedder, mawryger, canmoler enw'r Un Sanctaidd, bendithier ef; er iddo fod ymhell uwch law'r holl fendithion ac emynau, mawl a chysur a yngenir yn y byd, a dywedwch Amen.

Cynulleidfa
Bendithier enw'r Arglwydd o'r awr hon hyd yn dragywydd.

Galarwr
Boed cyflawnder o heddwch o'r nefoedd, a bywyd i ni ac i holl Israel; a dywedwch Amen.

Cynulleidfa
Fy nghymorth a ddaw oddi wrth yr Arglwydd, yr hwn a wnaeth Nefoedd a Daear

Galarwr
Efe sydd yn gwneuthur heddwch yn ei uchelfannau, boed iddo wneud heddwch i ni ac i holl Israel; a dywedwch Amen

M. Braybrooke, *How to Understand Judaism*, SCM, 1995, tud. 36

Yn ystod yr orymdaith mae Salm 91 yn cael ei hadrodd. Ar lan y bedd, mae'r holl ddynion sy'n bresennol yn rhannu'r gwaith o lenwi'r bedd. Ceir araith fer yn talu teyrnged i rinweddau'r person marw. Hen, hen weddi yn moli Duw ydy'r Kaddish.

Tasg

Tasg sgrifennu	Ail-sgrifennwch y weddi yn eich geiriau eich hun.

Wedi'r angladd, bydd y teulu'n treulio saith diwrnod gartref yn galaru a bydd ffrindiau a chymdogion yn galw heibio i gydymdeimlo. 'Eistedd shiva' ydy'r arfer yma. Mae'r ymwelwyr fel arfer yn dod â bwyd gyda nhw felly does dim rhaid i'r teulu drafferthu i goginio yn ystod y cyfnod trist yma. Deirgwaith y dydd mae'r galarwyr yn adrodd gweddi'r kaddish. Mae'r deg diwrnod ar hugain nesaf yn gyfnod o alaru llai dwys ac yn raddol, mae bywyd yn dychwelyd i normal.

Bob dydd am un mis ar ddeg wedi i berson golli tad neu fam, rhaid iddo/iddi adrodd gweddi'r Kaddish. Yn ôl y gyfraith Iddewig, dim ond pan fydd cworwm o ddeg person yn bresennol (h.y. digon o bobl i wneud gwasanaeth yn ymarferol - mewn Iddewiaeth Uniongred, mae hynny'n golygu deg dyn) y gall y weddi yma gael ei hadrodd. Dyna un rheswm pan mae gwasanaethau bob dydd mewn synagogau Uniongred. Mae galarwyr yn ymuno â'r gynulleidfa arferol gan obeithio y bydd o leiaf deg dyn yn bresennol bob dydd. Yn y pen draw, mae'r person marw'n cael ei gofio bob blwyddyn ar y dyddiad y bu farw yn ôl y calendr Iddewig. Mae cannwyll goffa yn cael ei chynnau ac mae'r Kaddish yn cael ei ddweud eto. Dydy Iddewon an-Uniongred ddim yn dilyn yr holl arferion hyn, ond maen nhw'n cadw cyfnod o alaru. Ym mhob rhan o'r gymuned, mae'n dal i fod yn fwy arferol i Iddew ddewis cael ei gladdu yn hytrach na'i amlosgi, a dymuno cael rhyw fath o wasanaeth ar lan y bedd.

Carreg fedd yn y fynwent Iddewig,
Abertawe.

'Rydych chi'n golchi'ch dwylo ar ôl bod i'r fynwent. Dydych chi ddim yn cerdded i mewn i'r tŷ heb olchi'ch dwylo gyntaf. Ond mae'n siŵr fod y cymdogion yn ei gweld hi'n od pan fyddwch yn sefyll ar garreg y drws â bowlen blastig a chwpan â dwy ddolen yn eich llaw!'

Norma, Abertawe

Tasg

Chwarae rhan	Dychmygwch eich bod yn Iddew Uniongred sydd newydd golli perthynas. Dwedwch wrth y dosbarth sut rydych yn teimlo a beth rydych yn ei wneud yn ystod y naw diwrnod cyntaf wedi'r farwolaeth.

Geirfa

Bar/Bat Mitzvah	'Mab/merch y gorchymyn'. Defod ar gyfer bechgyn Uniongred, a bechgyn a merched Diwygiedig, pan fydd y bechgyn yn 13 a'r merched yn 12 oed.
Bat Chayil	'Merch y bywyd' mewn Iddewiaeth Uniongred, gwasanaeth lle mae pob merch 12 oed yn darllen ac adrodd gweddi yn ei thro.
Brit Milah	Enwaediad, torri ymaith blaengroen bechgyn wyth-diwrnod oed fel arwydd o'r cyfamod.
defodau tyfiant / defodau cerrig milltir	Defodau sy'n dathlu symud o'r naill gyflwr i un arall. Mae gan y rhan fwyaf o grefyddau ddefodau tyfiant ar gyfer geni, priodi a marw. Mae gan rai crefyddau, fel Iddewiaeth, ddefodau dod-i-oed ychwanegol.
eistedd Shiva	Aros gartref am saith diwrnod wedi marwolaeth perthynas agos, a derbyn ymwelwyr tra'n eistedd ar stôl isel.
get	Mewn Iddewiaeth Uniongred, tystysgrif ysgaru wedi ei gyhoeddi gan y gŵr.
Kaddish	Gweddi sy'n cael ei hadrodd yn wynebu Jerwsalem, sy'n moli Duw. Mae Kaddish y Galarwr yn cael ei ddweud am 11 mis wedi marwolaeth rhiant neu berthynas agos, a phob blwyddyn wedi'r farwolaeth.
Ketubah	Cytundeb priodas.
Pidyon ha-Ben	'Prynedigaeth y cyntafanedig', defod lle mae'r tad yn dewis rhoi arian yn hytrach nag ildio ei fab 31 diwrnod oed.

Y cyfreithiau bwyd a bywyd bob-dydd

Nod

Ar ôl astudio'r bennod yma, dylech fod yn gallu asesu swyddogaeth a phwysigrwydd ufuddhau i'r cyfreithiau bwyd (kashrut), tephilin, mezuzah, a rheolau gwisg i'r teulu Iddewig. Dylech fod yn gallu dangos yn glir eich bod yn gwybod ac yn deall gwreiddiau beiblaidd yr arferion yma, a'r gwahanol ffyrdd maen nhw'n cael eu dehongli mewn Iddewiaeth fodern. Dylech hefyd fod yn gallu dangos sut mae parchu'r arferion yn cyfrannu at fywyd a hunaniaeth Iddewig.

Mae pawb yn gwybod nad ydy Iddewon yn bwyta porc. Ond mae'r cyfreithiau bwyd a bywyd bob-dydd yn llawer mwy cymhleth na'r un gwaharddiad yma. Maen nhw'n dod o gyfres o reolau yn yr Ysgrythurau Hebraeg. Maen nhw'n ymdrin â phynciau fel pa anifeiliaid sy'n kosher (iawn i'w bwyta) a pha rai sy'n trefah (wedi'u gwahardd), pa gategorïau o fwyd na ddylid eu bwyta gyda'i gilydd, a beth sy'n arbennig am gartref Iddewig. Mae'r rheolau hyn wedi cael eu trin a'u trafod dros y canrifoedd ac erbyn heddiw, mae pwnc kashrut (cyfreithiau bwyd Iddewig), yn enwedig, yn gymhleth dros ben.

Mae hyn wedi effeithio'n fawr ar fywyd cymdeithasol Iddewon. Yn nrama Shakespeare, 'The Merchant of Venice', mae Shylock yr Iddew yn dweud, 'Fe brynaf gyda chi, gwerthu gyda chi, siarad gyda chi, cerdded gyda chi ac yn y blaen. Ond wna'i ddim bwyta gyda chi, yfed gyda chi na gweddïo gyda chi.' Hyd yn oed heddiw, mae Iddewon Uniongred yn dilyn yr un patrwm. Am fod y rheolau mor gymhleth, allan nhw ddim bwyta mewn bwytai cyffredin neu yng nghartrefi ffrindiau an-Iddewig. Rhaid i Iddewon Uniongred gymdeithasu o fewn eu cymuned eu hunain.

Fodd bynnag, dylid pwysleisio nad ydy'r rhan fwyaf o Iddewon heddiw yn cadw'r rheolau hyn yn gyfangwbl. Maen nhw'n fodlon cyfaddawdu. Weithiau bydd teulu'n cadw'r rheolau yn y cartref, ond yn bwyta unrhyw beth y tu allan iddo. Weithiau maen nhw'n osgoi porc a physgod cregyn, ond yn bwyta unrhyw beth arall, a weithiau maen nhw'n anwybyddu'r rheolau yn llwyr ac yn bwyta'r un pethau â'u cymdogion an-Iddewig. Fel yn y bennod ddiwethaf, arfer Uniongred sy'n cael ei ddisgrifio yma.

Mae stori'n cael ei hadrodd am Iddew oedd yn arfer mynd i'r YMCA bob bore i gael cig moch i frecwast heb yn wybod i neb. Cyn bwyta, byddai bob amser yn torri darn o'r cig moch a'i roi yn y llwchblat. Y rheswm am hynny oedd bod ei fam wedi dweud wrtho 'Os gwnei di fyth fwyta cig moch, boed i'r llond ceg cyntaf dy dagu.'

Y cyfreithiau bwyd

Yn ôl stori'r Creu yn Llyfr Genesis, cafodd bodau dynol blanhigion, hadau a ffrwythau i'w bwyta yn wreiddiol (Genesis 1: 29). Dim ond wedi'r Dilyw Mawr y rhoddodd Duw ganiatâd i Noa a'i deulu i fwyta cig (Genesis 9: 3-4). Hyd yn oed wedyn, dwedodd Duw:

'Ond peidiwch â bwyta cig â'i einioes, sef ei waed, ynddo.' Mae llysieuaeth, felly, wedi bod yn un dewis i Iddewon erioed, ac mae'r rhan fwyaf yn credu yn nyddiau olaf y Ddaear yma, pan fydd y Meseia (y brenin a ddewiswyd gan Dduw) yn dod, y bydd bodau dynol yn troi'n ôl at fwyta llysiau yn unig.

'Y ffrwyth rydyn ni'n ei gysylltu â'r Iddewon ydy'r pomegranad. O'i dorri, mae ganddo gymaint o hadau â'r 613 o reolau, llu o hadau. Mae'n ymddangos fod y rheolau'n llesol i iechyd, hylendid a meddygaeth. Er enghraifft, maen nhw wedi darganfod fod y pomegranad yn wrth-garsinogenig ac mae'r sudd yn antiseptig.'

Norma, Abertawe

Yn y cyfamser, mae pob math o waharddiadau ynglŷn â bwyta cig. Yn gyntaf, er mwyn ufuddhau i'r gorchymyn i beidio â bwyta gwaed, rhaid i'r anifail gael ei ladd mewn ffordd sy'n helpu'r holl waed i lifo allan o'r corff. Mae hyn yn golygu torri ei wddf yn lan â chyllell finiog iawn a chrogi'r corff er mwyn i'r gwaed lifo allan. Mae'r cigydd kosher yn fedrus iawn ac mae angen llawer o hyfforddiant ar gyfer y gwaith. Ar ôl i'r anifail gael ei dorri'n ddarnau, rhaid halltu'r darnau o gig er mwyn tynnu unrhyw waed sydd ar ôl i'r wyneb, ac yna ei olchi'n drylwyr mewn dŵr glan. Mae'r driniaeth yn tueddu i sychu'r cig, felly mae coginio Iddewig yn canolbwyntio ar fathau o gawl a casseroles yn hytrach na chig wedi ei rostio neu ei bobi.

Bwydydd y caiff Iddewon eu bwyta a rhai sydd wedi eu gwahardd

Dim ond rhai anifeiliaid y caiff Iddewon eu bwyta. Mae Deuteronomium 14: 6 yn dweud mai dim ond anifail sy'n cnoi cil ac sydd â charnau hollt all gael ei fwyta. Dyna pam mae porc wedi ei wahardd, nid am fod moch yn dioddef o lyngyr neu fod porc yn mynd yn ddrwg yn gyflym mewn gwledydd poeth. Er bod gan foch garnau hollt, dydyn nhw ddim yn cnoi cil, felly dydyn nhw ddim yn bodloni Deuteronomium. Mae cwningod a sgwarnogod yn waharddedig hefyd (dim carnau hollt, dim cnoi cil) a'r camel, sydd yn cnoi cil, ond sydd â thraed gwastad yn hytrach na charnau hollt. Yr anifeiliaid y gall Iddewon eu bwyta, felly, ydy gwartheg, defaid, geifr a cheirw.

Dydy'r Ysgrythur ddim yn rhoi prawf tebyg ar gyfer adar, ond mae rhestri hir o adar sydd wedi eu gwahardd. Yn ôl Llyfr Lefiticus, maen nhw'n cynnwys yr eryr, eryr y môr, y barcud, unrhyw fath o gudyll, unrhyw fath o frân, yr estrys, y frân nos a'r wylan (Lefiticus 11: 13-14). Dylid nodi fod y rhain i gyd yn adar ysglyfaethus. Does dim rhestr o adar derbyniol, ond mae adar sy'n cael eu bwyta fel arfer, fel cyw iâr, twrci, neu hwyaden yn cael eu hystyried yn kosher. Mae pysgod yn iawn ond fod ganddyn nhw esgyll a chen. Mae Llyfr Deuteronomium yn dweud 'Ond popeth sydd heb esgyll na chen, ni chewch ei fwyta; y mae'n aflan i chwi' (Deuteronomium 14: 10). Mae hyn yn golygu na chaiff Iddewon fwyta unrhyw bysgod cregyn, fel berdysen, corgimwch, cranc a cimwch, na chreaduriaid fel y llysywen a'r crwban môr.

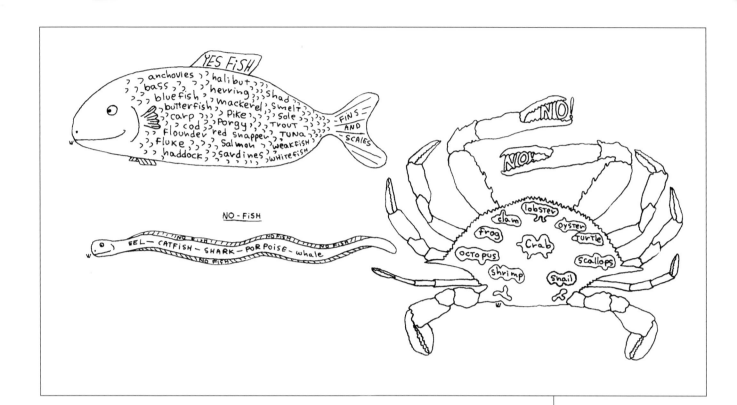

Mae'r adnod 'peidiwch â berwi myn yn llaeth ei fam' yn ymddangos dair gwaith yn y Pentateuch, ddwywaith yn Llyfr Exodus (23: 19 a 34: 26) ac unwaith yn Deuteronomium (14: 21). Efallai mai'r bwriad gwreiddiol oedd atal yr Iddewon rhag dilyn yr arfer paganaidd o ladd anifeiliaid beichiog er mwyn cael gafael ar eu lloi tyner cyn eu geni, neu goginio creaduriaid newydd eu geni yn llaeth eu mam. Byddai'r naill eglurhad neu'r llall wedi cael ei ddeall fel cyfraith yn seiliedig ar yr egwyddor y dylid bod yn garedig i anifeiliaid. Ond dros y blynyddoedd, mae pobl wedi deall hyn fel gwaharddiad ar fwyta cig a bwydydd llaeth gyda'i gilydd. Mae cig yn cynnwys adar, ond nid pysgod.

Mae hyn felly yn golygu peidio â rhoi unrhyw fath o saws â hufen ynddo ar gig, a pheidio â chynnig pwdin llaeth ar ôl cwrs cig. Felly, fyddai Iddew Uniongred byth yn bwyta byrgar caws, hyd yn oed os oedd wedi ei wneud o gig kosher, am ei fod yn torri'r reol yn erbyn cymysgu. Ar y llaw arall, byddai pastai bysgod hufennog (ond fod gan y pysgodyn esgyll a chen) yn gwbl dderbyniol. Mae rhai bwydydd, fel pysgod, wedi cael eu dynodi'n fwydydd parve ('niwtral') sy'n golygu eu bod yn gallu cael eu cymysgu gyda chig neu gynnyrch llaeth.

Prynu bwyd kosher

Dydy'r rhan fwyaf o bobl ddim yn gwybod beth yn union sydd mewn bwydydd parod. Mae hwn yn fater pwysig i Iddewon Uniongred rhag ofn fod elfennau gwaharddedig wedi cael eu cynnwys ynddo. Er enghraifft, gallai bisgedi ffatri fod wedi eu pobi mewn tun wedi ei iro â brasder porc. Er mwyn i Iddewon fod yn dawel eu meddwl fod bwyd yn kosher, mae system o warantu hynny wedi datblygu. Mae arbenigwyr yn arolygu ffatrïoedd a lladd-dai i sicrhau fod y cyfreithiau'n cael eu cadw'n fanwl. Dim ond pan fyddan nhw'n sicr nad ydy nwydd neilltuol yn cynnwys unrhyw beth gwaharddedig y byddan nhw'n cyhoeddi tystysgrif ar ei gyfer. Mae catalog rheolaidd yn cael ei gyhoeddi yn rhestru'r holl fwydydd parod derbyniol, yr holl shohet (cigyddion) sy'n gwerth cig shechitah (wedi ei ladd yn y modd cywir) a phob bwyty sy'n darparu bwyd kosher.

Pwnc seminar

Actiwch ddialog rhwng myfyrwraig Iddewig ac un an-Iddewig am Kashrut, sy'n digwydd wedi i'r fyfyrwraig Iddewig gael ei gwahodd am bryd o fwyd yng nghartref ei ffrind an-Iddewig.

Y gegin kosher

Mamgu Iddewig a'i hwyres yn gwneud kreplach adeg y Flwyddyn Newydd Iddewig.

Yn y cartref, rhaid i'r gegin gael ei threfnu i sicrhau nad oes dim cysylltiad rhwng bwydydd cig a bwydydd llaeth. Dydy peidio â'u rhoi gyda'i gilydd yn yr un pryd bwyd ddim yn ddigon. Gallai tameidiau bychain o'r bwyd ddal i fod ar blatiau a chyllyll a ffyrc ar ôl eu golchi, a gallai hynny lygru prydau bwyd diweddarach. Yr unig ateb ydy bod â dwy set gyflawn o lestri a chyllyll a ffyrc ar gyfer y ddau fath o fwyd. Rhaid defnyddio gwahanol fyrddau gwaith hefyd, yn ogystal â sosbenni ac offer coginio gwahanol. Rhaid golchi'r llestri brwnt mewn padellau gwahanol a'u storio mewn dau gwpwrdd gwahanol. Yng nghymdeithas gyfoethog heddiw, efallai y bydd gan gegin kosher ddau beiriant golchi llestri, dwy oergell a dwy rewgell.

'Cyn i mi briodi, aeth mam â fi i siopa i brynu'r holl bethau fyddai eu heisiau ar gyfer y cartref newydd. Gofynnodd i fi a fyddwn i'n glynu wrth y traddodiad teuluol, a chadw powlen olchi llestri a llieiniau coch ar gyfer fleishig (cig) a rhai glas ar gyfer milchig (bwydydd llaeth).

Doeddwn i ddim yn meddwl am funud y byddwn i'n cadw at hynny. Ond wedi i chi brynu'r pethau yma, rydych yn defnyddio'r rhai coch ar gyfer pethau cig a'r glas ar gyfer llaeth heb feddwl . . . fyddwn i ddim yn breuddwydio peidio â gwneud. Ac felly mae'r diwylliant yn mynd yn ei flaen.'

Jacqui, Abertawe

Os bydd rhywun yn gwneud camgymeriad ac yn llygru un set o offer, mae'r gyfraith yn dweud beth i'w wneud. Ar ôl i'r sosban neu beth bynnag gael ei glanhau'n drwyadl, mae'n bosib cael gwared o'r bwyd drwg drwy ei losgi ymaith â lamp losgi neu drwy drochi'r sosban am rai munudau mewn dŵr berw. Allwch chi ddim gwneud hynny gyda llestri neu wydrau a fyddai'n torri yn y fath wres. Felly, does dim dewis ond rhoi'r plât neu'r gwydr i siop elusennol neu i ffrindiau an-Iddewig.

Mae'r sefyllfa hyd yn oed yn fwy cymhleth oherwydd rheolau Pesach (gweler pennod 6). Yn ystod saith neu wyth dydd yr ŵyl honno, does neb fod i fwyta unrhyw chametz (burum neu lefain) a does neb i gadw dim ohono yn y tŷ. Felly, rhaid glanhau'r tŷ drwyddo, i gael gwared o bob briwsionyn. Mae'r llestri a'r cyllyll a'r ffyrc arferol yn cael eu rhoi i gadw, ac mae setiau arbennig, di-lefain yn cael eu defnyddio ar gyfer cyfnod yr ŵyl. Rhaid bod â dwy set o'r rhain. Mae hyn i gyd yn waith aruthrol i wraig y tŷ, yn enwedig gan fod yr ŵyl yn cael ei dathlu â phryd defodol anferth a chymhleth ar y noson gyntaf (ac ar yr ail noson y tu allan i wlad Israel).

Mae Iddewon Uniongred yn ufuddhau i'r holl ddeddfau yma, wrth gwrs, ond mae'n ddrud. Heb son am yr holl offer ychwanegol, mae shohet yn gorfod cael eu hyfforddi ac mae'r holl broses arolygu yn golygu llawer iawn o fiwrocratiaeth. Oherwydd hynny, mae bwyd kosher yn llawer drutach na bwyd archfarchnad cyffredin.

Coginio kosher

Does dim arddull arbennig o goginio kosher. Mae gwahanol gymunedau Iddewig ym mhedwar ban y byd yn tueddu i ddilyn arferion bwyta'r gwledydd maen nhw'n byw ynddyn nhw. Yn yr Unol Daleithau a Phrydain, mae cig eidion hallt, ciwcymbrau dil, crempog tatws, cawl betys a twmplenni pysgod yn cael eu gweld fel 'bwydydd Iddewig'. Mewn gwirionedd, y cwbl ydyn nhw ydy bwydydd Dwyrain Ewrop, o'r lle daeth teuluoedd y rhan fwyaf o Iddewon Americanaidd a Phrydeinig. Ar y llaw arall, mae Iddewon y Dwyrain Canol yn tueddu i fwyta ffelaffel, reis a cwscws. Mae bron unrhyw fath o fwyd cenedlaethol yn gallu bod yn fwyd kosher ac mae gan Efrog Newydd, yn enwedig, amrywiaeth anferth o dai bwyta kosher, yn cynnwys rhai Tsineaidd, Mecsicanaidd a Ffrengig.

Yn yr oesoedd canol, un o'r rhesymau roedd Iddewon yn cael eu cyhuddo o fod yn wrachod oedd am eu bod yn ymddangos yn fwy iach na gweddill y boblogaeth. Efallai mai'r glanhau mawr blynyddol yma oedd yn gyfrifol am hynny. Ond rhaid pwysleisio eto nad oes gan ddeddfau kashrut ddim byd i'w wneud â iechyd. Mae Iddewon yn eu dilyn am eu bod yn credu fod Duw wedi gorchymyn hynny.

Y gyfraith Iddewig a bywyd bob-dydd

Mae'r gyfraith Iddewig yn cynnwys pob agwedd o fywyd. Mae Llyfr Deuteronomium yn dweud y dylai geiriau Duw, ei gyfreithiau, fod wedi eu rhwymo 'yn arwydd ar dy law, a byddant yn rhactalau rhwng dy lygaid. Ysgrifenna hwy ar byst dy dŷ ac ar dy byrth' (Deuteronomium 6: 8-9). Mae'r adnodau hyn yn rhan o'r Shema (y weddi sy'n dechrau â'r geiriau 'Gwrando, O Israel') ac maen nhw'n cael eu hadrodd o leiaf ddwywaith y dydd. Bydd yr Iddew duwiol yn dweud y weddi ben bore wrth godi a'r peth olaf gyda'r nos cyn mynd i gysgu. Yn ddelfrydol, dyma'r geiriau olaf y dylai eu dweud ar ei wely angau.

Mae'r weddi'n fwy na throsiad yn unig, yn golygu y dylai Iddewon fod yn cofio gorchmynion Duw drwy'r amser. Yn hytrach, mae'r geiriau'n cael eu cymryd yn llythrennol ac mae deddfau'r tephilin a'r mezuzah yn dilyn y geiriau hynny.

Tephilin a mezuzah

Blychau bach ydy tephilin sy'n cynnwys adnodau o'r Beibl mewn llawysgrifen ar ddarnau o femrwn. Yr adnodau ydy Exodus 13: 1-16, Deuteronomium 6: 4-9 a Deuteronomium 11: 13-21. Mae strapiau lledr i'r blychau. Mae un yn mynd o gwmpas y pen, fel bod y blwch yn gorffwys rhwng y llygaid ac mae'r llall yn cael ei ddirwyn mewn ffordd arbennig am y fraich chwith fel bod y blwch yn wynebu'r galon. Bob bore o'r wythnos bydd dynion Uniongred yn perfformio'r ddefod yma tra'n gweddïo.

Nid y blwch ydy'r mezuzah, ond y sgrôl y tu fewn iddo, â'r Shema wedi ei sgrifennu arno.

Blwch bach arall yn cynnwys adnodau ar femrwn ydy mezuzah. Deuteronomium 6: 4-9 ac 11: 13-21 ydy'r adnodau yma (y rhai sydd yn y Shema). Ar gefn y memrwn mae'r gair Shaddai ('Hollalluog'). Mae'r blwch wedi'i hoelio ar bostyn llaw dde'r drws, ac mewn cartref Uniongred, mae un ar gyfer pob stafell yn y tŷ heb law'r stafell molchi. Mae'r blwch ddau-draean o'r ffordd i fyny ar bostyn y drws, ar oleddf yn pwyntio i mewn i'r stafell. Felly, bob tro mae person Iddewig yn symud o gwmpas y tŷ, mae'n ei atgoffa am gyfraith Duw. Mae hwn eto yn hen, hen arfer. Daeth archaeolegwyr o hyd i mezuzah ar y safle lle cafodd Sgroliau'r Môr Marw eu darganfod.

Er mai dim ond yr Uniongred sy'n gosod mezuzah ar bob drws, mae bron pawb sy'n rhan o'r gymuned Iddewig yn hoelio un ar ddrws allanol y tŷ. Mewn ardaloedd lle mae llawer o Iddewon yn byw, fel Golders Green yn Llundain neu rai rhannau o Manhattan, Efrog Newydd, mae gan lawer o'r fflatiau a'r tai mezuzah ar bostyn y drws.

Gwisg a golwg

Mae dynion Uniongred yn dal i wisgo dillad trawiadol. Dim ond o'r ddeuddegfed ganrif OG mae'r cap corun (kippah neu yarmulkah) yn dyddio, ond dyna un o'r arwyddion amlycaf fod dyn yn Iddew. Mae cyfreithiau hefyd ynglŷn â blew wyneb. Yn ôl Llyfr Lefiticus (19: 27), dydy dyn ddim i fod i dorri ymylon ei farf. Mae Iddewon Uniongred caeth yn credu fod hynny'n golygu y dylid gadael i gyrls ochr dyfu, ac mae'r cyrls hyn yn aml i'w gweld ar fechgyn ifanc. Mae dynion mewn oed yn tueddu i'w gwthio y tu ôl i'w clustiau o'r golwg.

Yn Llyfr Numeri (15: 37-38), mae Duw yn gorchymyn i'r Iddewon i wneud taselau ar odre eu gwisg ac mae dynion Uniongred yn gwisgo crys isaf sydd â tzitzit (taselau) ar bob cornel. Mae bendith arbennig yn cael ei dweud wrth wisgo hon bob dydd. Mae tzitzit hefyd ar bob cornel i'r tallit (siôl) y bydd dynion Iddewig yn ei gwisgo wrth weddïo. Mae'r taselau hyn yn atgoffa'r Iddewon am y 613 mitzvah.

Does dim rhaid i fenywod wisgo dillad arbennig er bod menywod Uniongred yn gwisgo'n weddus iawn, gyda sgertiau sy'n cuddio'r pengliniau a llewysau dros y penelin. Mae menywod priod yn cuddio'u gwallt yn llwyr ac yn aml yn gwisgo wig ddeniadol yn hytrach na sgarff. Ond dydy hi ddim mor hawdd adnabod menywod Iddewig wrth eu dillad â dynion Iddewig. Yn y gorffennol, yn fwyaf diweddar yn yr Almaen Natsïaidd, roedd rhaid i Iddewon wisgo bathodyn arbennig, ond erbyn heddiw, dydy'r mwyafrif helaeth o Iddewon ddim yn edrych yn wahanol i'w cymdogion. Mae'r rheini sydd â barf ac sy'n gwisgo taselau neu gap corun yn gwneud hynny am eu bod yn credu eu bod yn ufuddhau i orchmynion Duw i'r Iddewon.

Tasgau

Tasgau sgrifennu	Eglurwch sut mae ffordd arbennig o wisgo wedi helpu'r Iddewon i gadw'u hunaniaeth.
	Aseswch ddilysrwydd y farn ei bod yn well mynegi Iddewdod drwy ymddygiad moesol na thrwy ddefodau arbennig mewn bywyd bob-dydd.

Plant Iddewig yn nhref Safed yng ngogledd Israel.

Mae lle arbennig i blant mewn Iddewiaeth. Heb blant, ni fyddai'n bosibl trosglwyddo'r grefydd i'r genhedlaeth nesaf.

Geirfa

kashrut	Y cyfreithiau bwyd Iddewig.
kosher	Bwyd sy'n cael ei 'ganiatáu' gan y rheolau yn yr ysgrythurau.
mezuzah	Memrwn â'r Shema wedi ei sgrifennu arno, mewn blwch sy'n cael ei roi ar byst drysau a chlwydi.
sgroliau'r Môr Marw	Dogfennau Iddewig pwysig o'r ganrif gyntaf gafodd eu darganfod ger safle archaeolegol Qumran, ar lan y Môr Marw. Mae'r dogfennau'n rhoi llawer o wybodaeth am fywydau rhai Iddewon yn ystod cyfnod yr Ail Deml.
tephilin	Memrwn â'r Shema wedi ei sgrifennu arno wedi ei gynnwys mewn blychau lledr wedi eu clymu ar dalcen ac am fraich chwith dynion Iddewig Uniongred.

Deunydd ar gyfer yr Uned Synoptig (U2)

Wrth i chi astudio Iddewiaeth bydd eich athro neu athrawes wedi bod yn galw eich sylw at y wybodaeth dylech ei chofio ar gyfer y Modiwl Synoptig a fydd yn cael ei asesu wedi i chi gwblhau astudio U2.

Mae'r asesiad ar gyfer y modiwl synoptig yn golygu y bydd rhai i chi sgrifennu traethawd o dan amodau rheoledig ar agwedd neilltuol o Awdurdod Crefyddol, neu Brofiad Crefyddol, neu Fywyd, Marwolaeth a Bywyd ar ôl Marwolaeth. Dylai'r traethawd ddefnyddio o leiaf ddau faes llafur, oherwydd dylech allu cynnal dadl feirniadol, a gallai hynny olygu cymharu a chyferbynnu gwahanol feysydd astudiaeth.

Yn ogystal â gwybod y ffeithiau angenrheidiol a deall un o'r tri maes gafodd eu dewis ar gyfer asesiad synoptig, bydd rhaid i chi ddangos gallu i feddwl yn feirniadol a'r gallu i ddilyn trywydd rhesymu.

Awdurdod crefyddol

Mae cwestiwn awdurdod crefyddol yn codi yn yr holl bynciau yn y llyfr yma. Duw ydy'r awdurdod terfynol i Iddewon, ac o safbwynt Iddewon Uniongred, mae ewyllys Duw yn cael ei mynegi'n glir yn y Torah. Mae gan y Mishnah a'r Talmudau awdurdod hefyd fel ysgrythurau ag ysbrydoliaeth dduwiol sy'n cael eu defnyddio i'n helpu i ddeall datguddiad y Torah. I Iddewon an-Uniongred, mae gan y rheswm dynol a syniadau modern awdurdod hefyd, a gellir defnyddio'r rheini i geisio deall y datguddiad. Gallwn weld cred yr Iddewon yn awdurdod y datguddiad yn y ffordd y maen nhw'n arfer eu crefydd, ac mae'r ffordd maen nhw'n ufuddhau i'r 613 mitzvah yn dangos lle maen nhw'n credu mae'r awdurdod terfynol. Dylid asesu awdurdod y synagog a'r cartref hefyd, a swyddogaeth y rabbi mewn bywyd defodol.

Profiad crefyddol

Mae'r llyfr yn dangos fod Iddewiaeth yn grefydd sydd wedi ei seilio ar brofiad crefyddol. Y profiad a gafodd rhai unigolion allweddol fel Abraham, Moses a'r Proffwydi o Dduw ydy sail cred ac arfer Iddewig. I Iddewon cyffredin heddiw, mae profiad crefyddol yn dod drwy weddi, pererindod, cadw'r gwyliau ac ufuddhau i'r mitzvot. Un peth cwbl arbennig am brofiad crefyddol Iddewig ydy'r syniad o Dduw yn gweithredu o fewn hanes. Felly, yn y Beibl Hebraeg, mae'r pethau sy'n digwydd yn cael eu hystyried fel cosb neu wobr Duw. Weithiau mae digwyddiadau wedi'r cyfnod beiblaidd, fel creu Gwladwriaeth Israel, yn cael eu gweld felly hefyd.

Syniadau am fywyd, marwolaeth a bywyd ar ôl marwolaeth

Mae Iddewiaeth yn canolbwyntio ar fywyd yn hytrach na marwolaeth. Dydy gweddi'r galaru, y Kaddish, ddim yn cyfeirio at y meirw, ond mae'n canolbwyntio ar fawredd Duw, hyd yn oed yn wyneb dioddefaint y galarwyr. Mae'r angladd ei hun yn lle i fynegi galar dwys, ac mae'r meirw'n cael eu cofio bob blwyddyn. Dydy cred mewn bywyd ar ôl marwolaeth ddim wedi bod yn ganolog i Iddewiaeth, er bod rhyw syniad o gyfnod yr Ail Deml ymlaen fod y bywyd ar ôl y bywyd yma yn rhywbeth i edrych ymlaen ato. Mae llawer o Iddewon yn credu yn atgyfodiad y corff ar ddiwedd amser, felly mae claddu'n fwy cyffredin nag amlosgi. I lawer, mae'r syniad o fywyd yn parhau drwy eu plant, sy'n blant i Israel, mor bwysig neu'n bwysicach nag unrhyw syniad o fywyd tragwyddol personol.

Llyfryddiaeth

Alexander, P.S. (1984) *Textual Sources for the Study of Judaism*, Manceinion, Gwasg Prifysgol Manceinion

Close, Brian, (1991) *Judaism: A Student's Approach to World Religions*, Llundain, Hodder and Stoughton

Cohn-Sherbok, L. a D., (1994) *Judaism: A Short History*, Rhydychen, Oneworld

Cohn-Sherbok, L. a D., (1999) *Judaism: A Short Introduction*, Rhydychen, Oneworld

Cohn-Sherbok, L. a D., (1999) *A Short Reader in Judaism*, Rhydychen, Oneworld

Cohn-Sherbok, D., (1999) *Judaism*, Llundain, Routledge

De Lange, N. (1984) *Atlas of the Jewish World*, Llundain, Phaidon

Epstein, Isidore, (1990) *Judaism*, Harmondsworth, Penguin

Forta, Arye, (1995) *Iddewiaeth*, Bangor, Canolfan Genedlaethol Addysg Grefyddol

Harries, J. Glyndwr, (1983) *Arweiniad at Iddewiaeth*, Caernarfon, Gwasg Pantycelyn

Pilkington, C., (2003) *Iddewiaeth*, Llyfrau Addysgwch Eich Hun, Caerdydd, Gwasg APCC

Solomon, Norman, (1996) *Judaism: A Very Short Introduction*, Rhydychen, Gwasg Prifysgol Rhydychen